D1247903

DES MÊMES AUTEURS

RÉCITS D'UN VOYAGEUR DE L'ASTRAL

TERRE D'ÉMERAUDE
Témoignages d'outre-corps

DE MÉMOIRE D'ESSÉNIEN
L'autre visage de Jésus

LE VOYAGE A SHAMBHALLA
Un pèlerinage vers Soi

CHEMINS DE CE TEMPS-LA
De Mémoire d'Essénien tome 2

PAR L'ESPRIT DU SOLEIL

CASSETTE DE CONFÉRENCE SUR
L'AURA
Les Robes de Lumière
Lecture d'aura et soins par l'Esprit
produit par
ÉVEIL ÉDITION
24580 PLAZAC
disponible aux Éditions ARISTA

Le catalogue des Éditions Arista est adressé franco sur simple demande
Éditions ARISTA
24580 Plazac-Rouffignac
Tél. : 53 50.79.54 – Fax. : 53 50.80.20

Anne et Daniel Meurois-Givaudan

Les Robes de Lumière

Lecture d'aura et
Soins par l'Esprit

ÉDITIONS ARISTA

LES ROBES DE LUMIÈRE

A vous tous, thérapeutes, médecins du corps, de l'âme et de l'esprit, à vous qui souhaitez vous dépouiller de tout ce qui n'est pas vous-même, ce livre est dédié.

Avec nos encouragements à nos compagnons de route depuis un certain été 84...

Prologue en un lieu de l'âme...

« Il est des mots que l'on hésite aujourd'hui à prononcer devant les hommes de la Terre. Ainsi peut-on difficilement dire *Frère* à celui qui est face à soi et que l'on aime, ainsi peut-on également bannir du vocabulaire humain le mot *Dieu* ou encore celui d'*Esprit*. Et pourtant... et pourtant c'est avec eux que je m'adresserai à vous parce que ma volonté ne sait plus rien véhiculer d'autre que l'amour, que la lumière... »

L'Etre qui s'adresse à nous en ces termes est un homme athlétique à l'abondante chevelure noir-corbeau. Vêtu d'un sobre et élégant costume à la mode rajpute, il se déplace face à nous de long en large, lentement, avec la souplesse du félin. Nous sommes peut-être une centaine à le regarder ainsi déambuler sereinement, une centaine d'hommes et de femmes assis sur le sol laiteux d'une grande pièce toute blanche, si blanche que le regard se perd dans le coton de ses parois.

L'Etre s'arrête soudain et nous observe, un léger sourire aux lèvres. Nos regards se sont rencontrés...

Oh, nous les reconnaissons bien ces deux prunelles!

Que de choses leur façon de secouer l'âme n'évoque-t-elle pas en nous ! Au fil des années, au seuil de la spirale de lumière qui mène notre conscience jusqu'à l'Autre Rive, elle nous est presque devenue familière.

Nos compagnons sont de toutes nationalités, de toutes races et de tous âges. La plupart d'entre eux baissent les yeux tandis que d'autres, plus rares, écarquillent les paupières et se tendent tout entier vers l'Etre qui poursuit:

« J'emploierai donc le langage d'amour.. car c'est celui de la guérison de l'âme et parce que l'âme de la Terre et des hommes attend ses nouveaux thérapeutes. Mais avant que je n'aborde réellement ce point, amis, comprenez que nous sommes ici réunis dans ce que certains d'entre vous pourraient appeler un *sanctum*. Vous savez que le monde physique, celui des phénomènes denses, est en vérité une bien petite chose en regard des univers plus subtils de l'âme et de l'esprit. Mon propos n'est pourtant pas ici de vous instruire quant à eux mais simplement de vous dire que nous sommes présentement assemblés dans une sorte d'espace mental que notre volonté d'action commune a su créer. Nous nous tenons, si vous préférez, dans une sorte de bulle hors du temps qui servira de lieu d'instruction à un certain nombre d'hommes et de femmes harmonisés autour de points essentiels et tournés vers les thérapies.

« Je dis les thérapies... et en cela je commets presque une erreur. Il m'aurait fallu dire *la* thérapie car il est bien évident que toutes choses, si on les ramène à leur principe, doivent se fondre en Une. Je dirai donc la thérapie car si les instruments sont multiples, l'énergie qui les conduit demeure unique.

« Vous n'ignorez pas que votre monde vit actuellement un tournant important de son histoire et il est clair que bon nombre de ses notions, considérées par vous comme éternelles et inébranlables, doivent être considérablement révisées, voire totalement refondues.

« Soyez-en conscients, l'âme humaine n'a pas grandi proportionnellement au corps de chair qui l'abrite, et à l'emprise que celui-ci a jeté sur la matière. Cette même matière se rebelle donc contre la force qui l'anime. C'est pour lutter contre une telle forme de gangrène que nous nous promettons ici d'agir. Non pas pour entretenir la factice opposition de l'esprit et du corps mais pour fondre les apparents extrêmes, pour instiller en cette époque charnière les bases renouvelées de l'harmonie oubliée.

« Il faut, je le répète, amis, soigner l'âme humaine et permettre à son véhicule de retrouver le juste équilibre entre ce que j'appellerai succinctement la Terre et le Ciel, c'est-à-dire entre les énergies binaires et les courants ternaires qui alimentent un organisme. Voyez-vous, c'est le manque d'amour de la race des hommes qui a brisé les épousailles de ces deux forces. Pour cette raison, la Grande Lumière qui anime toute la Création et que vous pouvez appeler Divinité ou Nature selon le langage de votre cœur, incite aujourd'hui tout amoureux de la Vie à retourner aux racines de l'Arbre de Santé.

« Je veux parler ici de la Santé totale, de la Santé sacrée, c'est-à-dire du cristal immuable qui maintient l'équilibre de l'être sur tous les plans de son existence. Il est mille façons d'œuvrer pour elle, certains le feront par l'art, par le don de communication ou maintes autres capacités. Nul n'a le privilège de la démarche idéale..

« Quant à nous, nous nous retrouverons ici, fréquemment, puisque tel a été votre souhait, afin d'appporter notre pierre à la transmutation d'une certaine médecine ou encore pour élargir le chemin d'une thérapie de l'Etre. Chacun travaillera ainsi dans le domaine pour lequel sa propre nature l'a particulièrement doué. Ce sanctum, soyez-en certains, n'a pas pour but de créer une école de thérapeutes au sens où vous pouvez l'entendre, mais d'insuffler sur la terre entière une nouvelle volonté de recherche et de compréhension dans les rapports unissant l'homme au cosmos.

« O, amis, nous ne voulons pas ici de guérisseurs au sens trop humain du terme mais des êtres capables d'apprendre à lire la Vie dans sa globalité, capables de l'appeler à se répandre là où on l'a oubliée... »

L'homme tout de blanc vêtu se tait maintenant. Et tandis que l'espace virginal du sanctum s'efface lentement à nos yeux, son sourire de quiétude persiste au centre de nos consciences. Il nous renvoie à nous, une fois de plus, et il est un peu comme ce sourire du Bouddha tourné vers son Essence première, vers cette paix reconquise... C'est celui du Frère D.K., puissant comme un appel à l'action...

Notre souhait est que ce livre lui soit un début de réponse et qu'il apporte aux pèlerins de Lumière une dalle de plus pour paver leur chemin. Il n'a pas d'autre but, non plus, que de faire prendre conscience à chacun de l'incroyable potentiel de Vie qui dort en tout homme.

Ce sont ici essentiellement les possibilités de diagnostic par l'aura et les soins de nature spirituelle qui seront abordés. En cela nous espérons pouvoir également répondre, du moins en partie, aux sollicitations de plus en plus pressantes d'un certain nombre de thérapeutes, médecins et chercheurs.

Que ceux qui ont suivi jusqu'à présent notre démarche ne s'y méprennent pourtant pas, cet ouvrage ne sera pas un ouvrage simplement technique même s'il contient une certaine somme d'éléments précis susceptibles d'aider à un travail concret. L'objectif à atteindre est avant tout l'aide à autrui, ainsi qu'une connaissance plus approfondie de soi-même et par là même un effort vers une purification de l'aura planétaire. Il n'y a, en conséquence, qu'un seul chef d'orchestre possible : l'Amour.

Est-il besoin d'en dire davantage... ? Vous savez dès lors qu'il fallut demander à un certain Soleil de guider notre plume.

CHAPITRE I

Pour une première approche de l'aura

Il est des termes, autrefois très rarement usités, qui depuis quelques années tendent à se banaliser singulièrement. Ainsi, celui de réincarnation remplit-il de plus en plus souvent les colonnes de la presse à grand tirage; ainsi la notion d'aura descend-elle peu à peu « dans la rue. » N'entend-on pas dire de tel acteur ou de tel homme politique qu'il dégage une aura de fantaisie ou de crédibilité? Il n'est cependant pas certain que la quotidienneté croissante de ce vocabulaire puisse apporter quelque lumière aux concepts réels qu'il véhicule.

Qui, en effet, sait exactement ce qu'est une aura? Les dictionnaires sont peu bavards et nous renvoient à un simple mot latin sans véritable commentaire. On y apprend uniquement qu'il s'agirait d'une sorte de « souffle » dégagé par un être. Seule la notion d'émanation que ce souffle induit implicitement permet d'orienter tant soit peu les recherches. On peut constater également avec étonnement que, dans des milieux que l'on dit plus « initiés » au langage métaphysique, la réalité que recouvre le mot aura demeure dans un flou générateur de confusions.

Nous n'avons pas, bien sûr, la prétention d'apporter ici des lumières définitives sur le sujet. Qui le pourrait, d'ailleurs ? L'aura étant liée par essence à la Vie, ses richesses, ses significations, sont susceptibles de faire l'objet d'un nombre considérable d'ouvrages. La Vie n'est-elle pas, en effet, synonyme d'expansion constante et éternelle ?

Précisons cependant que notre connaissance personnelle repose sur une quinzaine d'années d'observations. Ainsi, si certaines de nos constatations recoupent des données issues des Ecoles traditionnelles, nous en sommes heureux, d'autant que nous n'avons pas voulu en tenir compte par souci d'objectivité ; si, par contre, d'autres font apparaître des semblants de contradiction ou de désaccord, cela prouvera une fois de plus que l'aura est un univers à elle seule et que l'on est seulement au seuil de la pénétration de ses secrets.

Pour tenter d'éclaircir la question, disons que l'aura se manifeste globalement comme le halo plus ou moins coloré, plus ou moins lumineux qui entoure un corps. En d'autres termes, il est possible d'ajouter qu'il s'agit du champ de force dégagé par un être vivant. Cette idée reste évidemment encore hérétique par rapport à un certain milieu scientifique officiel. De fait, seuls quelques appareillages imparfaits et contestés, des témoignages extra-sensoriels et l'iconographie traditionnelle des religions[1] attestent son existence.

Comme entrée en matière à cette étude, sachons que sous le terme général d'aura se cachent plusieurs réalités. Pour parler plus clairement, il n'existe pas *une* aura mais *des* auras. Cela signifie que tout corps émet diffé-

1. Les fameuses auréoles nimbant la tête des saints, auréoles dont le dessin semble codifié.

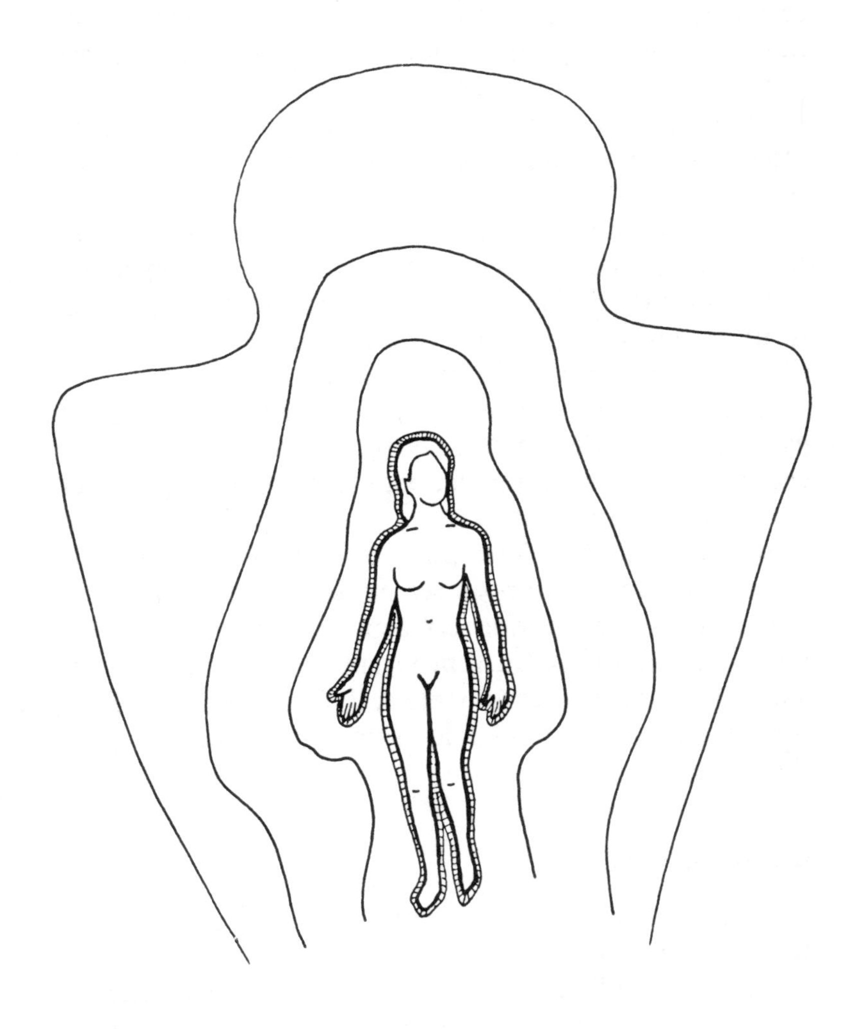

Emplacement des différentes auras

rents types de radiations lumineuses qui se complètent, se superposent, et surtout s'interpénètrent. Ces différentes auras s'annoncent plus ou moins subtiles selon leur apparent éloignement du corps matériel.

Elles sont par conséquent discernables selon les capacités de l'être humain ou du dispositif mis en place pour les observer.

Cette constatation doit nous permettre de comprendre qu'un corps est évidemment constitué de plusieurs niveaux de vie et que l'émanation de chacun d'eux, sous forme d'onde lumineuse dans notre cas, doit être porteuse d'un certain nombre d'informations.

Au-delà de l'organisme physique, nous verrons qu'il est possible de dénombrer six plans d'énergie bien distincts les uns des autres parce qu'étant chacun le reflet d'une réalité différente.

Si l'on considère l'être humain au niveau où il nous intéresse, l'observation de ses auras pose donc le principe que sa constitution est septuple, corps physique inclus. Avant toute démarche visant à les percevoir, c'est-à-dire à communiquer avec elles, il nous semble préférable de défricher un peu le terrain à un niveau plus théorique.

L'aura éthérique

Commençons donc par l'aura la plus dense, celle qui se situe dans la périphérie immédiate du corps matériel. L'usage veut qu'elle soit appelée aura éthérique ou encore aura vitale. Ce dernier terme peut avoir notre préférence en ce sens qu'il rend assez bien compte de la qualité d'information véhiculée par elle. Elle est effectivement le baromètre précis de la vitalité physique d'un corps ou, si l'on préfère, le témoin, le potentiomètre des réserves énergétiques de son organisme. Les renseignements qu'elle va nous fournir sont, par conséquent, de nature purement fonctionnelle ou mécanique puisqu'ils rendent compte d'une sorte de circuit électrique relativement primaire bien qu'extra-corporel.

Concrètement, l'aura éthérique épouse le corps physique tel un gant sur une épaisseur qui varie généralement entre un et trois centimètres au-delà de la surface de la peau. Sa luminosité, qui avoisine les gris bleutés, voire parfois les argentés, peut faire songer à une légère brume ou à une fumée d'encens, ne serait-ce que par son opacité et sa façon de se mouvoir... car le fait est là, il s'agit réellement de « quelque chose » qui, bien que relativement stable, n'est absolument pas statique. Cette aura se manifeste souvent de façon si spontanée à un observateur tant soit peu attentif que l'on serait tenté de dire qu'elle est la matière elle-même, mais fluidifiée. Nous verrons cependant que c'est, sans doute, prendre là le problème à l'envers.

L'aura astrale

Au-delà de ce rayonnement s'étend ce que l'on a coutume d'appeler l'aura astrale. La différence qui la distingue de la précédente est considérable, tellement nette que la confusion s'avère impossible. L'aura astrale, que l'on devrait aussi baptiser « aura émotionnelle », englobe le corps et la radiation précédente sur une zone dont l'épaisseur moyenne est d'environ un mètre cinquante. Sa grande mobilité, ses colorations aux variations infinies en constituent aussi les signes distinctifs majeurs. Nous devons la considérer comme le miroir fidèle des passions de l'individu en ce sens qu'elle renvoie le juste reflet de son ego inférieur ou de sa personnalité.

On comprend aisément pourquoi cette aura est particulièrement tumultueuse chez la majorité des humains; les variations de tous ordres qui s'y lisent sont autant de tempêtes et de raz-de-marée auxquels la nature affective de l'homme doit faire face. C'est aussi l'aura de l'impermanence puisque sa surface est en perpétuelle mutation et qu'elle évolue au rythme des émotions subtiles de son propriétaire. Il est certain que sa grande maléabilité doit faire l'objet d'une attention particulière car bon nombre d'erreurs dans la compréhension de l'être profond proviennent de sa méconnaissance et donc d'opinions acquises hâtivement.

Sur un plan plus formel, il faut savoir que l'aura astrale conserve la silhouette assez précise du corps matériel. Ses contours offrent simplement plus de lourdeur et même fréquemment des déformations ou des excroissances qu'il faudra savoir interpréter.

Mais il est vrai qu'un être humain, fort heureusement, ne se résume pas au domaine de ses émotions. Là où prennent fin les pulsions de tous ordres se développe le royaume de la raison, de l'intellect, et enfin des capacités d'abstraction.

L'aura mentale

C'est l'aura mentale qui rendra compte de ce niveau de l'existence d'un homme et c'est la troisième que nous tenterons donc de connaître. Tout comme l'aura astrale, elle enveloppe les émanations précédentes dans son cocon, lequel s'allonge, dans la majorité des cas, jusqu'à un mètre quatre-vingts ou deux mètres au-delà de l'épiderme. Affirmer que ses contours demeurent ceux du corps humain serait excessif. Néanmoins, l'ensemble de la figure qu'ils dessinent conserve une forme humanoïde, notamment en ce qui concerne la partie supérieure du corps : buste, bras, tête. L'encéphale de l'aura mentale peut d'ailleurs être atteint d'une espèce de gigantisme assez comique et parfois bien révélateur des tendances de l'être. Cette aura est infiniment plus stable que la précédente, même si elle est génératrice de tout une batterie de fumerolles et de formes étranges que nous étudierons par la suite.

Sa coloration, quant à elle, varie du blanc grisâtre à un jaune citron particulièrement électrique et aisément discernable.

Certains diraient de cette aura qu'elle est le témoin de l'activité intelligente de l'homme, du moins au sens où nos civilisations occidentales comprennent le terme d'« intelligence ». Elle véhiculera, par rapport au monde de ses pulsions, les données secondaires de l'être et mettra en évidence les mécanismes de ses raisonnements et ses processus de mentalisation.

L'aura causale

Plus éloignée du corps physique, nous trouvons maintenant ce qu'il est convenu d'appeler l'aura causale qui, comme son nom l'indique, nous met en rapport avec le monde des « causes » lesquelles font de l'être terrestre — personnalité, potentialités de tous ordres et organisme physique — ce qu'il est. La notion de cause sous-entend bien entendu celle d'effet. C'est dans l'aura causale qu'il conviendra donc de chercher, dans certains cas, l'origine première de tel trait marquant, voire dominant, ou de telle pathologie.

Son existence renvoie systématiquement — du moins pour ceux qui en acceptent la réalité — à la notion de *karma*, c'est-à-dire à un bagage plus ou moins lourd, plus ou moins lumineux issu d'existences antérieures. Les autres verront peut-être dans ce terme l'énergie manifestée d'une sorte d'inconscient... mais il est vrai que les écoles qui traitent de l'inconscient humain ont parfois entre elles quelques différends quant à l'utilisation de tel ou tel vocabulaire. Pour en revenir à la notion de karma, l'aura causale résumera, chez ceux qui la prennent en compte, l'acquis profond de l'être, c'est-à-dire les tendances et les capacités contre lesquelles ou avec lesquelles il lui faudra nécessairement œuvrer pour progresser sur le chemin de sa vie.

Nous verrons cependant qu'elle ne porte pas en elle l'énergie d'une fatalité mais qu'elle sous-entend plutôt le passage de l'individu par un certain nombre de portes ou points de repère jalonnant son avance.

Sur le plan de l'observation, nous verrons aussi que cette aura englobe les précédentes pour s'étendre en une zone variant entre deux et trois mètres au-delà du corps physique. Elle est néanmoins assez mobile et il n'est pas rare de la voir, pour des raisons difficilement cernables, se condenser considérablement.

D'une manière générale, l'aura causale se présente comme une sorte de trapèze, petite base dirigée vers le bas, surmonté d'une demi-sphère ou d'une sphère complète. L'ensemble de son rayonnement se manifeste en fait tel celui d'une silhouette humaine à l'imposante carrure, comme pourvue d'épaulettes, sans membres définis et donc stylisée. Sa perception fera bien souvent songer à certaines portes de l'architecture sacrée traditionnelle, notamment orientale.

Il nous faut maintenant marquer une sorte de pause car avec ce cinquième niveau de l'être prennent fin les énergies constituant ce que l'on appelle de façon pratique l'ego inférieur de l'homme, c'est-à-dire la somme de forces diverses, de conscience ou d'inconscience qui lui permet de prononcer le « Moi-Je » quotidien. Cela signifie que les deux rayonnements qui suivent et qui embrassent les précédents annoncent un domaine supra-humain ou semi-divin.

Auras de vitalité divine et d'esprit divin

Il convient de reconnaître qu'il n'est guère possible d'être très bavard concernant ces radiances, ne serait-ce que pour la simple raison que la vie ne permet pas de rencontrer fréquemment des hommes ou des femmes les ayant développées et se prêtant, de plus, à leur observation, de toute évidence respectueuse.

Nous appellerons successivement ces deux rayonnements aura de vitalité divine et aura d'esprit divin.

Ainsi que nous venons de le dire, les êtres qui parviennent à les expanser sont rares et il est assurément possible de considérer ceux-ci comme des ponts jetés entre notre monde purement terrestre et la « supra-existence » ou, si l'on préfère, l'Existence, le joyau à découvrir.

Sans entrer dans des détails pour lesquels nos vocabulaires deviennent pauvres, ajoutons que ces deux auras sont la résultante d'une extraordinaire énergie d'amour, d'abnégation et de volonté. Elles sont donc un peu comme des antennes entre deux types de réalité ou encore des postes émetteurs-récepteurs d'une pureté cristalline. Les êtres qui les développent sont évidemment proches de l'état de réalisation qui couronne l'évolution humaine et en marche vers des états de conscience « bouddhique » ou « christique ».

Ce qui est certain, c'est que la septième aura expansée par un être humain incarné se manifeste par une immense lumière blanche d'une virginalité indicible, colorée de temps à autre par un flot ondulatoire doré.

Sans commentaire...

L'œuf aurique

Munis de ces informations, que pouvons-nous dire de ces différents rayonnements ? Tout d'abord qu'ils apparaissent globalement sous la forme d'un grand œuf dont la partie inférieure pénètre largement dans le sol, sous le corps de l'être concerné. Ce détail a son importance car il est susceptible de nous faire comprendre un peu plus à quel point un organisme vivant est constamment relié au « corps de la terre » donc à l'ensemble des énergies telluriques. Ce mariage systématique et nécessaire à l'équilibre vital devrait nous amener à une réflexion quant à l'utilisation de certains matériaux de sol en architecture. En effet, même si l'ensemble du rayonnement aurique en tant qu'émission subtile s'immisce automatiquement dans la matière comme une onde sonore, il n'en est pas moins vrai que quelques matériaux, pour la plupart synthétiques ou ayant des effets d'ordre magnétique,

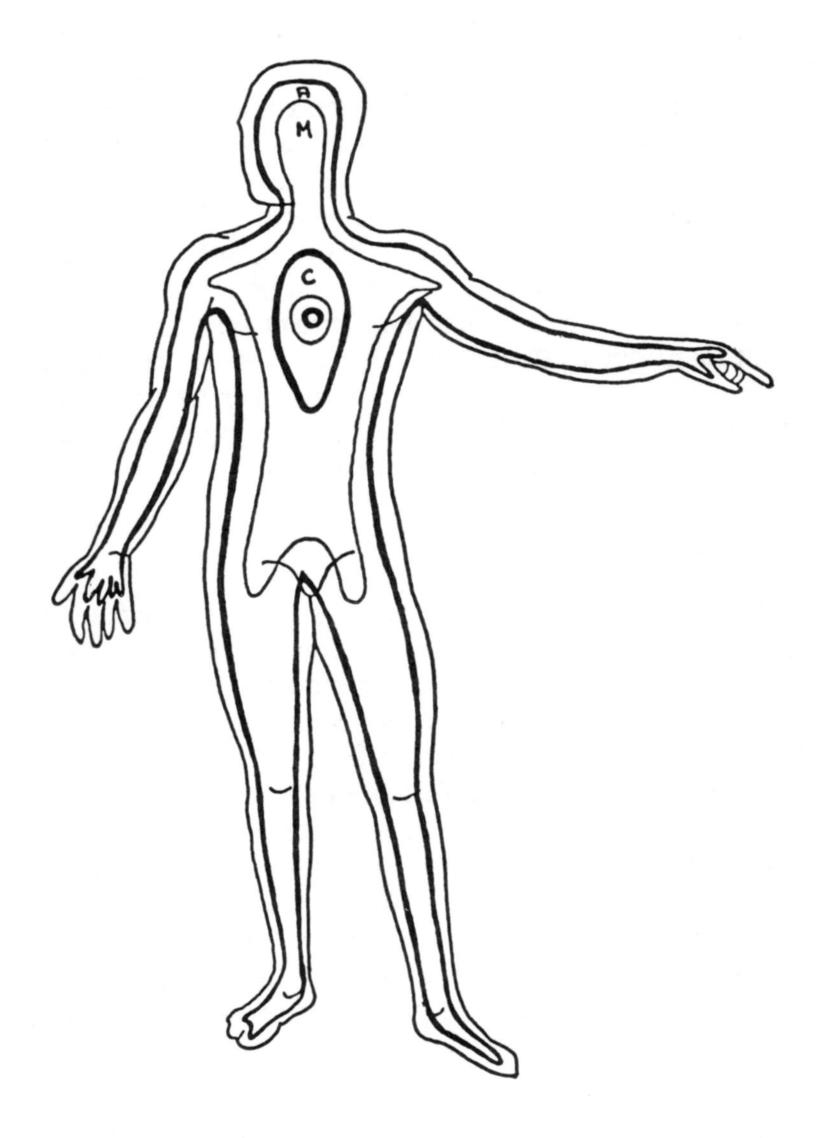

Emplacement des différents corps subtils

perturberont et étoufferont son rayonnement correct[1]. Il ne s'agit pas, bien sûr, de tomber dans des excès quant à cette recherche de communion maximale avec le sol.

Quoi qu'il en soit, l'œuf aurique ne se présente pas exactement comme un ensemble de couches lumineuses superposées un peu à la façon des étages d'un immeuble. Cela signifie que, si on le distingue pourtant aisément de cette façon, il est en perpétuelle mutation. Ses constituants s'interpénètrent. Une aura ne sera jamais tout à fait identique à elle-même; l'épaisseur de ses couches, leur luminosité, leur façon de s'imbriquer les unes les autres, donc leur dynamisme, se renouvellent sans cesse en fonction de nombreuses données.

Les corps subtils

Il nous faut maintenant tenter de bien comprendre ce que sont exactement les multiples couches de l'aura que nous avons passées en revue. En d'autres termes, nous posons les questions suivantes : Sont-elles des corps? Sont-elles des éléments constitutifs de l'âme et de l'esprit tels que nous les présentent traditions et religions? Nous pouvons immédiatement répondre non. Effectivement, l'ensemble des auras ne représente que la manifestation plus ou moins tangible des véritables corps subtils; il en est donc l'émanation. Cela revient à dire qu'une aura n'est jamais que le souffle coloré d'un corps dont elle procède.

Par conséquent, il faudra prendre garde à ne pas confondre aura éthérique et corps éthérique, aura astrale

1. Voir pour cela les ouvrages d'architecture spécialisés dans les ondes de forme et la prise en compte de la nature plus ou moins biologique des matériaux de construction.

et corps astral, aura mentale et corps mental, et ainsi de suite...

Mais, dirons-nous, où se situent donc ces corps subtils s'ils ne sont l'aura elle-même? Tout simplement à « l'intérieur » du corps physique. L'origine réelle de l'idée des « poupées gigognes » vient de cette constatation. Cela signifie (si l'on veut bien parler de « dimensions » dans un domaine aussi impalpable et sujet à variations) que le corps astral ou émotionnel est légèrement plus petit que le corps physique qui le contient, que le corps mental est lui-même plus réduit que le corps astral et ainsi de suite jusqu'au « corps d'esprit divin ». Le rayonnement d'une aura, quant à la place qu'il occupe autour d'un organisme physique, est donc inversement proportionnel au corps dont il est issu.

Cette mise au point est beaucoup moins anodine qu'il n'y paraît au premier abord. En effet, lorsque les religions ou les mouvements spirituels prêchent l'intériorité et nous disent : « cherchez la Vérité ou cherchez Dieu en vous-même », il s'agit tout simplement d'une référence à cette réalité précise. Si l'on se base sur ce principe, la recherche de notre identité profonde reviendrait donc à briser un certain nombre de coquilles qui sont autant de « corps énergétiques », de « réservoirs intimes ».

On voit ainsi comment la connaissance des auras, manifestations limpides de ces corps incapables de tromperie, peut aider à l'avance de l'homme dans les domaines de sa santé physique et spirituelle.

Les niveaux de conscience

Un domaine sur lequel il nous faut, semble-t-il, revenir est celui des « niveaux de conscience ». Effectivement, excepté le rayonnement éthérique dont les caractéristiques nous montreront qu'il sert de relais final entre les réalités impalpables et le corps dense, chaque aura est le reflet d'un type bien spécifique de conscience. Cela revient à dire que *toute couche de l'aura est le miroir de l'un des visages de l'âme humaine, ou de l'ego.* Chacun de nos corps subtils s'avère donc être une parcelle de nous-même et, à ce titre, est doté d'une forme de conscience qui lui est propre.

L'évolution personnelle de tout être concourt à ce que tel corps, donc telle qualité de conscience plutôt que telle autre, prédomine chez lui à longueur de vie ou en une circonstance particulière.

L'aura est ainsi le témoin impartial du niveau de vie profonde d'un homme, domaine par domaine.

Au cours des centaines de cas qu'il nous a été donné d'observer pendant ces dernières années, nous avons pu constater que les êtres humains, dans leur très grande majorité, vivent au niveau de leur conscience astrale. Cela revient à dire que la plus grande partie d'entre nous est régie quotidiennement par ses émotions et ses pulsions et ne s'est pas dotée d'une possibilité de recul et de réflexion authentique par rapport aux événements de la vie.

Cette remarque signifie également, et par voie de conséquence, que l'humanité réagit à la façon d'un enfant ou tout au plus d'un adolescent. Concrètement, précisons qu'il est assez fréquent de ne pas trouver trace d'auras réelles au-delà de l'aura émotionnelle. Les rayonnements mental et causal ne se manifestent alors que de façon embryonnaire ; toutefois, ces différentes remarques ne s'appliquent qu'à des personnes adultes.

Il nous faut dire à ce sujet que les théories traditionnelles affirmant que tous les sept ans chaque homme ajoute un nouveau corps subtil à celui ou ceux qu'il possède déjà sont entièrement confirmées par la lecture d'aura. Une radiance mentale correctement développée peut ainsi rarement se constater avant la vingt et unième année d'un être[1].

Les chakras

L'expansion des auras et la mise en place de leurs niveaux de conscience vont bien sûr de pair avec ce que l'Orient appelle communément les chakras. Chacun de ces plexus, ou centres énergétiques échelonnés le long de la colonne vertébrale, semble de toute évidence lié de façon privilégiée à un corps. Ainsi, le second chakra (Svadvishthana), qui incarne les énergies de reproduction de la terre entre-t-il en rapport étroit avec l'aura vitale. Mais attention, cela ne signifie pas qu'il soit étranger aux autres corps et rayonnements de l'être. Bien loin de là, nous le verrons. Une sorte de hiérarchie est habituellement établie entre les différents chakras et aussi les niveaux subtils d'un corps. Nous attirons cependant votre réflexion sur le fait que cette classification revêt essentiellement un côté pratique. Elle ne doit pas introduire l'idée de la prédominance des chakras supérieurs par rapport à ceux de la moitié inférieure de la colonne vertébrale. L'antique principe de sagesse qui veut que « tout

1. Les corps éthérique et astral ne sont totalement développés et ins tallés que respectivement vers sept et quatorze ans. La somme des autres corps est bien sûr présente dès le départ mais sous forme de germes que l'être saura ou non faire éclore.

ce qui est en haut» soit «comme tout ce qui est en bas» demeure plus vrai que jamais. L'homme accompli met en évidence un équilibre parfait entre les rayonnements de ses auras successives. Nous voulons dire qu'il possède la santé totale et qu'il œuvre avec la plus parfaite aisance aussi bien dans le monde de la matière que dans celui de l'esprit. C'est cette harmonie qu'il nous paraît essentiel de découvrir et c'est sa recherche qui doit nous faire dépasser le côté technique de cet ouvrage. Admettons que vous veniez de mettre au point, au prix de beaucoup d'efforts, un splendide véhicule... si vous négligez de le chausser de deux paires de pneus en rapport avec ses qualités et ses performances possibles, votre réalisation restera bancale par manque d'une logique élémentaire...

Les différents règnes

Nous avons, jusqu'à présent, parlé de l'homme et de ses auras; est-ce à dire qu'il soit le seul concerné par le travail entrepris dans ces pages? Certes pas. Si la lecture des radiances subtiles nous amène tout naturellement à privilégier la santé humaine et les thérapies qui s'y rapportent, il faut acquérir la conscience que *tout, sans exception, tout ce qui prend place dans la Création, est doté durant son existence d'une aura.* Du fragment de roche à l'animal en passant par le végétal et les éléments de base de la nature, tout a une aura.

Cela nous amène immédiatement à penser que les notions de vie, de conscience, et qu'un terme comme celui d'«objet», sont à coup sûr totalement à reconsidérer dans nos civilisations. Si un «souffle» est exhalé par tout ce qui existe à la surface de la Terre, cela revient à dire qu'un

Principe de Vie identique imprègne la nature et tous ses habitants et qu'il y a aussi un rapport de parenté, même lointaine, entre l'animé et l'inanimé. Y a-t-il d'ailleurs un «inanimé»? Le sol que nous foulons se renouvelle constamment de lui-même bien qu'une existence humaine soit trop courte pour pouvoir réellement en juger. Une pierre semi-précieuse ou précieuse, ainsi que l'a mis en évidence l'œil de certaines caméras, se met à pulser et à rayonner différemment, et cela de façon très concrète, selon des cycles et des emplacements précis.

La connaissance de l'aura de toute chose dans la nature nous enseignera une nouvelle forme de respect, poussant encore plus loin les notions habituelles de l'écologie. Elle nous apprendra surtout à avoir la volonté d'étendre notre champ d'amour à l'intégralité de ce qui constitue le monde. C'est davantage l'affaire d'une prise de conscience à partir de quelques petites constatations que d'une grande réflexion métaphysique.

Il est évident que le Principe de Vie n'imprègne pas de la même façon le minéral et l'humain. Ainsi, les règnes minéral et végétal sont simplement dotés d'une aura éthérique, ce qui signifie qu'ils n'ont pas de conscience en tant qu'individus mais qu'ils obéissent systématiquement à un mécanisme vital, ce qui nous paraît nécessairement logique. L'éthérique d'un végétal est toutefois plus large et plus riche en manifestations que celui d'un minéral. Les végétaux, en ce sens, ont perfectionné la circulation première de la Vie en eux.

Qu'en est-il maintenant des animaux? Ce que, selon toute vraisemblance vous supposez déjà, ils possèdent une aura astrale, plus ou moins développée en fonction des espèces. Un animal est donc doté d'une conscience de sa propre existence, de la notion d'appartenance à un groupe, même si ce savoir instinctif ne lui permet pas d'abstractions et la perception du même visage de la réalité que nous. L'énergie astrale étant, nous l'avons vu, liée aux émotions, aux pulsions et à l'affectif, elle les relie à un principe que l'on appelle traditionnellement lunaire. Cela nous amène à penser que les animaux ont vraisem blablement une image de la vie analogue à celle que nous faisons naître dans un rêve, ce qui ne les empêche pas bien sûr de savoir réellement ce que sont l'amour et la souffrance. D'une façon générale, ils subissent leurs pulsions et ne se créent pas les limitations imposées par le mental et ses formes de logique. Même si cela peut sembler extravagant, il nous paraît très important d'ajouter qu'il nous a été donné d'observer des animaux commençant à développer un embryon d'aura mentale. Ce qui revient à dire que certains animaux parviennent à faire croître en eux un début de conscience individuelle et deviennent de plus en plus capables d'émettre des réflexions élaborées.

Nous ne parlons pas particulièrement des singes mais plus simplement d'animaux domestiques comme le chat ou le chien, les chevaux ou les chèvres. La présence d'un amour humain ne serait-elle pas le facteur décisif de cette croissance qui les entraîne au sommet de leur évolution? La réponse semble évidente. Est-il besoin d'ajouter que l'on peut considérer de tels animaux comme les initiés de leur règne puisqu'ils ont accès à un niveau de conscience supra-animal.

Nous verrons, tout au long de cet ouvrage, que l'amour est en effet la clé-maîtresse de l 'évolution puisque seul, il permet le déverrouillage des portes permettant l'accès aux plans de vie de plus en plus profonds. La connaissance des auras et de leurs différents corps est un moyen supplémentaire pour comprendre que l'actuel état humain ne représente pas, loin de là, le point ultime de la manifestation de la vie. Si l'on a aujourd'hui admis que la planète Terre n'est en aucun cas le centre de l'univers il est temps de reconnaître que son présent locataire, l'homme, n'est pas le joyau de l'Évolution mais une simple étape à travers celle-ci. Hélas, pour s'imprégner de cela avec les yeux du cœur il faut beaucoup plus de tolérance et d'humilité que ces lignes ne sauraient le dire.

Puisqu'un simple arc-en-ciel nous offre le spectacle d'un rayonnement septuple, pourquoi donc nous arrêterions-nous au troisième ou quatrième barreau de l'échelle?

CHAPITRE II

Pourquoi une lecture d'aura?

Après ces quelques généralités qui ont le tort d'être assez théoriques, on peut toujours estimer que, mis à part un bagage métaphysique supplémentaire, la connaissances des différentes auras ne doit pas présenter d'intérêt majeur. Les voies de la recherche de la santé totaie sont déjà assez nombreuses pour ne citer que les 108 formes de yoga traditionnellement répertoriées, la qualité plus impressionnante encore de méthodes de méditation, de jeûnes ou de thérapies diverses. Bref, les chemins vers la maîtrise totale de l'être, intérieur et extérieur, sont déjà bien encombrés.

Disons-le d'emblée, nous ne présenterons pas la lecture de l'aura comme un ingrédient miracle. Nous estimons seulement que dans de nombreux cas elle peut être un auxiliaire précieux pour débloquer certaines situations. Cela s'avère d'ailleurs tout aussi valable des deux côtés de la «barrière», c'est-à-dire pour l'apprenti lecteur et pour le sujet.

Arrivé à ce point de réflexion, la chose la plus importante à souligner est celle-ci : la lecture de l'aura n'est en aucun cas à considérer comme un «pouvoir». Elle en est même tout à fait l'inverse puisqu'elle ne saurait servir à dominer mais plutôt à se mettre au service d'autrui. Ainsi, si à la question : « pourquoi apprendre à lire le rayonnement de l'aura ? » subsiste en nous un élément de réponse où la notion d'emprise demeure vivante, inutile de s'engager sur le chemin... non seulement pour un problème d'éthique mais aussi parce que les résultats seront plus que médiocres. Le but unique de la lecture de l'aura est l'aide à autrui par la connaissance de son être profond, la détection de ses potentialités et de ses faiblesses.

Une alliée en psychologie

Comment aiderons-nous celui qui se prête à une analyse de l'œuf aurique ? Dans un premier temps par un ensemble de conseils d'ordre psychologique. Qui peut dire qu'il se connaît vraiment ? Qui est totalement conscient de ses handicaps et de ses capacités réelles, voire même de la voie vers laquelle son potentiel de base l'attire nécessairement ? Certainement très peu de personnes. Combien d'entre nous, depuis longtemps à l'âge adulte, en sont encore à chercher leur direction et ne prennent pas conscience de ce qui, en leur personnalité, encombre leur avance ? Il est des anxieux ou des colériques qui s'ignorent par manque de lucidité et des talents qui ne peuvent éclore par absence d'un déclic. L'intention n'est pas de se substituer au psychologue mais de fournir en quelques minutes un cliché neutre des potentialités d'un individu sur les plans émotionnel, intellectuel et spirituel, cliché qui, tel un miroir dirigé vers l'intéressé, servira de base méthodique de réflexion.

Une méthode préventive

Le deuxième point qui nous permettra d'aborder la lecture d'aura tient beaucoup plus de la radiographie ou encore de l'échographie de l'être. Son intérêt n'est certainement pas le moindre puisqu'il permet d'obtenir un diagnostic complet et détaillé de l'état physique d'un individu. Mais de quel intérêt s'agit-il, diront certains, puisque les techniques médicales occidentales peuvent témoigner, images à l'appui, de l'état précis d'un organisme et cela même sans aller jusqu'au scanner qui « découpe l'individu en tranches ». La fonction tout à fait étonnante d'un diagnostic aurique se manifeste essentiellement au niveau de la prévention. En effet, nous comprendrons que, bien avant qu'une maladie ne se concrétise par des troubles physiques, elle préexiste sur les plans subtils de l'être. Il s'agit donc de découvrir les éléments qui permettent de cerner puis d'enrayer une maladie avant qu'elle n'apparaisse réellement.

Expliquons-nous. Nous avons vu précédemment, en passant en revue les différentes auras humaines, que la vie d'un homme ne se limite évidemment pas à son côté manifesté dans la nature. Pourra-t-on encore croire longtemps qu'un corps n'est que la conséquence d'une série de réactions chimiques et électriques ? L'aura atteste que c'est du côté subtil de sa constitution qu'il convient de se tourner en premier lieu pour comprendre et prévenir les désordres pouvant le perturber. Ainsi, nous affirmons que tout trouble physique est la conséquence plus ou moins directe d'une disharmonie ou d'une faiblesse de l'âme. Par âme, nous entendons ici les niveaux de conscience revêtus par les corps astral, mental et causal, autrement dit tout ce qui constitue l'ego inférieur ou encore l'âme-personnalité. La force d'une âme et la constance de cette force sont le véritable bouclier d'un organisme Que l'un des niveaux d'existence de l'individu vienne à s'empoisonner lui-même ou à se laisser empoisonner par une énergie qui lui est totalement étrangère et le germe de ce qui deviendra une maladie ne demandera qu'à se développer. Le parasitage que cela produit par répercussion sur l'une des couches concernées de l'aura a tôt fait de provoquer une brèche dans celle-ci et par extension dans l'œuf aurique. L'aura, réduite à un certain niveau à un vase poreux, manifeste dès lors des fuites d'énergie et laisse le champ libre à toutes sortes d'agressions.

Prenons le cas le plus fréquent où un trouble se produit au niveau du corps émotionnel d'un individu, par exemple une forte contrariété : l'intensité de la perturbation va donner la possibilité à la brèche astrale d'étendre ses ramifications jusqu'au corps éthérique, et donc d'avoir une répercussion très rapide dans la matière puisque le corps éthérique offre une telle densité, que son influence sur l'organisme est quasi-immédiate. Le mécanisme de la maladie, même s'il est ici simplifié à l'extrême, rend bien compte de l'importance que l'on doit accorder à la partie invisible de l'iceberg humain.

Il va de soi qu'il existe des troubles qui ne prennent naissance qu'au niveau éthérique de l'être. Signalons par exemple que des problèmes de résistance physique peuvent être déclenchés par le port abusif d'un appareil à cristaux liquides. Il ne s'agit donc pas d'une maladie de l'âme, même si une âme ayant atteint une forme d'équilibre sur ses différents plans parvient à dépasser aisément certaines contingences. En résumé, celui qui tentera de servir autrui par la lecture de l'aura sait qu'une bonne hygiène de vie ne suffit pas à maintenir l'harmonie d'un être. Il est des façons de s'auto-polluer, voire de se ronger, lentes mais sûres dont il faut casser le processus au moyen d'une prise de conscience aidée par un diagnostic subtil. Nous reviendrons par la suite de façon beaucoup plus détaillée sur ces mécanismes car l'interaction qu'exercent les corps entre eux et que reflètent donc les auras est une pièce maîtresse pour la compréhension de l'équilibre de la vie manifestée.

Sans aller aussi loin dans la détection, le repérage du mauvais fonctionnement déjà existant d'un organe peut être d'une grande utilité lorsque le diagnostic établi par des méthodes conventionnelles est hésitant et ne donne pas de résultat. Nous répéterons une fois de plus le terme d'alliée quant à cette façon d'agir, car nous ne voulons pas faire de la méthode décrite dans ces pages une panacée absolue en matière de diagnostic médical et psychologique, du moins au stade où les hommes sont aptes à l'utiliser. Il ne s'agit d'ailleurs pas ici de s'opposer à tel type de pratique plutôt qu'à tel autre mais de poser les principes d'une complémentarité possible. Cette notion de complémentarité nous apparaît à ce propos tout à fait évidente dans le cas d'une discipline comme l'acupuncture qui tient compte de l'existence dans l'être d'un réseau d'énergie assez subtile pour n'être pas encore mis en évidence réelle par les techniques médicales de la science moderne.

Chacun sait que lorsqu'une personne souffre de maux de gorge continuels ce n'est pas nécessairement sa gorge elle-même qui est à mettre en cause mais peut-être ses reins ou ses intestins, par exemple. Quand on apprend par l'approche des auras que tout organe possède une sorte de contrepartie sur un plan non physique et que l'origine du malaise se situe vraisemblablement à ce niveau-là, les perspectives d'investigation s'en trouvent décuplées. On bénéficie de ce fait d'une chance plus grande d'enrayer le trouble à sa racine.

Nous venons d'aborder la notion de double « subtil » d'un organe physique. Ce terme n'a de signification exacte que sur le plan de l'existence vitale ou éthérique. En effet, si le corps éthérique est bien la réplique fidèle du corps matériel et s'il existe réellement un rein ou un cœur à son niveau, les choses ne sont pas aussi simples pour les autres véhicules de l'être. Cela veut dire qu'un corps émotionnel ou mental, pour ne citer qu'eux, n'est pas doté d'organes au sens où nous l'entendons. Il est pourvu de ce que nous appellerons des « agglomérats énergétiques » lesquels représentent autant de piles ou de petites centrales régulant les organes éthériques qui leur correspondent[1].

Rate et foie

Quelques mots sont indispensables au sujet de la rate et du foie car ces deux organes jouent un rôle très parti-

1. Ces agglomérats énergétiques sont les embryons d'organes qui se manifestent au niveau astral lorsque l'âme quitte le corps à la mort de son habit de chair. Le corps astral d'un décédé devient donc rapidement analogue à son corps physique, du moins tant que les mécanismes mentaux s'y attachant recréent instinctivement ces organes consécutifs à une réaction en chaîne des besoins. Ce phénomène se répète tant que l'âme-personnalité d'un individu (ses 5 premiers corps) n'est pas transcendée par ses deux corps supérieurs.

culier et prépondérant quant aux premiers de nos corps subtils à savoir l'éthérique et l'astral. L'observation du rayonnement vital met en évidence l'hyper-activité de la rate éthérique. Tout se passe comme si elle occupait les fonctions d'un aspirateur par rapport à une énergie supérieure. Elle se présente presque comme un plexus de plus, une sorte d'entonnoir par lequel s'engouffre un principe de Vie qu'elle s'empresse de rediffuser dans l'organisme. Nous dirons qu'elle est le moteur et même la source première du développement de toute force éthérique, le point d'ancrage aussi du corps vital dans l'organisme dense[1].

Quant au foie, ou plutôt sa contrepartie ou embryon subtil, il nous intéresse essentiellement au niveau astral dont on peut dire qu'il est l'élément directeur. La lecture de l'aura nous amènera donc à surveiller particulièrement son fonctionnement sur ce plan. Les rapports entre le foie et les émotions sont d'ailleurs des plus logiques ne serait-ce que par l'étude d'expressions populaires comme « se faire de la bile », « se ronger les foies » ou même plus familièrement « avoir les foies »[2]. On sait aussi que chez les personnes émotives une brusque contrariété peut provoquer ce que l'on appelle une « crise de foie ». Il est évident qu'une étude complète et détaillée des viscères pourrait être faite à ce point de vue.

Se profile maintenant la question suivante : du physique ou du subtil, lequel préexiste? Autrement dit, l'aura

1. Que ceux dont la rate a subi quelques dommages se rassurent, le pancréas subtil et le chakra dont il dépend s'efforcent de pallier le manque.

2. On pourrait réfléchir au symbole de Prométhée condamné à avoir quotidiennement le foie dévoré par un vautour, c'est-à-dire, entre autres, à être sous l'emprise d'émotions purement humaines

et les corps dont elle émane sont-ils la résultante de l'être matériel que nous avons sous les yeux ou est-ce le contraire ?

La force de l'observation nous fait immédiatement opter pour cette deuxième solution. Le corps physique n'est guère plus que la densification des énergies impalpables dont nous avons mentionné l'existence jusqu'à présent. En fait, lors de son processus d'incarnation, le potentiel que l'on appelle « ego » densifie progressivement son rayonnement ; c'est-à-dire que, si on le compare à une émission sur une certaine longueur d'ondes, cette même émission étend son existence sur d'autres fréquences jusqu'à devenir ce que nous en connaissons quotidiennement. Cela nous permet de comprendre davantage une notion qui ne devra plus nous quitter : la matière par laquelle nous appréhendons la vie est un effet et non pas une cause. L'étude de l'aura nous donnera d'ailleurs la possiblité d'aller plus loin dans la compréhension de cette cause... si tant est que nous acceptions de jouer le rôle de l'amoureux et non pas celui d'un instrument d'autopsie.

La matière

Nous avons parlé des différentes fréquences de vie sur lesquelles l'humain se manifeste et nous avons aussi manié à tour de rôle les concepts de « matière » et de « subtil ». Arrêtons-nous un instant à ce propos et posons la question suivante : Qu'est-ce que la matière ? Certains scientifiques nous diront : C'est de l'énergie. En ce sens, nous sommes parfaitement en accord avec eux. En effet, nos observations nous poussent à croire qu'il n'y a pas de différence fondamentale entre le Principe de Vie qui se manifeste par l'intermédiaire des auras à une certaine qualité de regard et celui qui coule dans nos veines pour se faire chair et os. Il nous paraît évident qu'il s'agit de la même force, du même «matériau» à un état de réalisation autre selon le plan où l'on se situe. Autrement dit, il nous semble peu judicieux d'opposer systématiquement corps subtils et corps dense ou esprit et matière car, ce faisant, on entretient toujours une dualité laquelle ne doit plus avoir consistance lorsque l'on a entrepris un certain cheminement. Si les multiples auras s'interpénètrent et épousent même la nature physique, c'est bien parce qu'elles ne sont pas étrangères les unes aux autres et que chacune est en fait le prolongement de l'autre, son intermédiaire, enfin, jusqu'à la lourdeur de notre monde. Un alchimiste sait qu'il y a de l'or en puissance dans le plomb. Inversement, celui qui lit l'aura capte l'or d'un individu et va chercher à localiser les impuretés qui font que cet or ne produit pas encore un plomb parfait. La lecture d'aura est un prélude à la médecine de l'âme, elle permet de bien comprendre qu'il n'est pas suffisant de s'attaquer à une manifestation pour entamer un processus de guérison. Une véritable transmutation de la cause originelle de la disharmonie doit s'opérer à un niveau précis.

Imaginez que l'ensemble des gouvernements décide de détruire la totalité des armements nucléaires. Ce sera évidemment un grand bienfait. Cependant, si dans le même laps de temps l'âme de l'humanité n'entreprend pas de se débarrasser de ses idées de haine, de domination et d'intolérance, cette gangrène subtile réenclenchera très rapidement le mécanisme des pulsions guerrières.

A nous donc de bien comprendre en face de quel type

de réalité nous place exactement la faculté de lire et d'interpréter les radiances de l'être. Il s'agit beaucoup plus que d'une radiographie sans rayons X...

CHAPITRE III

Connais-toi toi-même...

Ces principes fondamentaux étant établis, nous n'échapperons pas maintenant à la question « mais qui peut donc lire l'aura ? ».

« Eh bien..., serions-nous tentés de répondre, tout le monde »..., de la même façon que tout un chacun ou presque est apte à passer son permis de conduire ou à apprendre le maniement d'un instrument de musique. Nous voulons dire, en fait, que la connaissance des auras n'est aucunement réservée — du moins jusqu'à un certain point — à des « initiés », d'autant plus que le cheminement qu'elle induit n'expose à aucun danger, de quelque nature soit-il. Il n'en est pas moins vrai, bien sûr, que quelques-uns seront plus doués que d'autres et qu'il ne suffit pas de savoir tenir un pinceau pour se transformer en artiste peintre. Le présent ouvrage n'a donc pas pour but de vous garantir à coup sûr le succès dans ce domaine mais de favoriser une démarche pouvant aboutir à une aide à autrui appréciable et tout au moins à une prise de conscience personnelle supplémentaire. Sur les sentiers de l'esprit chacun demeure en définitive seul avec lui-même et la plus grande aide que l'on y rencontre ne prend jamais que la forme d'un bouclier, d'une lance avec lesquels on lutte contre ses propres dragons.

Potentiellement, vous tous qui lisez ces lignes possédez en sommeil la capacité d'appréhender le monde des auras. Cette capacité n'est d'ailleurs pas extraordinaire puisqu'elle résulte d'un sens engourdi ou plutôt d'une conception de la vie bannie par nos civilisations. Si vous n'êtes pas persuadés de cela, il est vraisemblablement inutile d'aller beaucoup plus loin pour la bonne raison que rien dans ce domaine ne repose sur la mise en application d'une recette avec quelques ingrédients. La simple compréhension mentale du processus et son analyse froide, nous voulons dire sans amour, feront l'effet d'un « pétard mouillé »...

Le sentier que nous empruntons maintenant passe d'abord par le portail de l'auto-critique et de la connaissance de soi. C'est un itinéraire bien embroussaillé et qui, avouons-le, fait un peu songer à une jungle. Qu'est-ce qui nous motive dans cette direction et qui sommes-nous pour vouloir cela ? Vaste question que très souvent on s'empresse d'éluder car elle encombre notre avance, tel un havresac.

Nous vous proposons de faire preuve de beaucoup de franchise avec vous-même et d'un certain courage, ce sera votre machette pour déblayer le chemin. Vous en aurez certainement besoin car il est difficile de ne pas passer par les forêts de l'amour-propre et de l'orgueil, de se faufiler ensuite entre les antiques colonnades du temple du désir de puissance. A cela s'ajoutent des embûches plus subtiles car il faudra franchir le pont vermoulu de la bonne conscience pour dépasser enfin les rives du fleuve désir.

Combien d'autres pièges encore faudrait-il mentionner? L'âme humaine est pleine de détours, de labyrinthes, de miroirs déformants brouillant l'avance de celui qui s'y aventure sans discernement et sans volonté. Mais ne soyons pas découragés et prenons simplement le temps de nous regarder vraiment en face, puis sachons reconnaître si nous voulons nous servir ou, au contraire, servir autrui. Ce n'est en aucun cas une sorte de morale qui dicte cette question, car la force, notre ego supérieur, qui tient les clés de notre cheminement, n'a que faire d'une telle notion. Ce qui importe pour elle c'est qu'aucune étape ne soit brûlée. Tout cela signifie que, si la pureté ne s'inscrit pas en premier lieu dans nos intentions, quelque chose en nous joue le rôle d'un censeur et nous fait ainsi comprendre que nous ne sommes pas tout à fait prêts, pas suffisamment responsables, pas assez dignes. Ceux qui prétendent lire l'aura en dehors de ces notions de base ne parviennent jamais à le faire que jusqu'à un certain niveau et en enfonçant des portes. Inutile presque d'ajouter que cela exposera tôt ou tard leur être profond à des désordres importants. On voit maintenant que *la notion de service est la seule qui puisse présider à la recherche proposée ici.* Il ne s'agit pas simplement de ne pas être animé d'intentions troubles. Il s'agit plutôt d'être motivé par des intentions toutes de lumière, évidemment désintéressées car on ne lit pas l'aura pour le « créneau professionnel » sur lequel cela pourrait déboucher. Dans cette direction on ne se trompe pas longtemps soi-même, pas plus qu'on ne trompe celui placé en face de soi. Les progrès sont rapidement stoppés. Notre être profond, encore une fois, est ainsi fait qu'il verrouille les accès vers la maîtrise vraie à tout ce qui n'est pas conforme à la Lumière

Des illusions de connaissance peuvent seules persister et se développer encore. On sait par conséquent qu'il faudra exclure, dès les premiers pas, toute idée de profit.

Est-ce tout ? Pas encore ! Il nous faut maintenant aborder un petit monde bien enraciné en chacun de nous et qui a pour nom curiosité. A première vue, il est tout à fait anodin et nous dirons même entièrement naturel. Sans la curiosité, en effet, y aurait-il des découvertes ? Même si ce sentiment qui est un moteur à bon nombre de choses n'a en soi rien de répréhensible, il conviendra de ne pas se laisser déborder par lui. En effet, entre curiosité et volonté d'apprendre, la frontière est subtile et même généralement poreuse. En résumé, voulons-nous *savoir* ou voulons-nous *connaître* ? Autrement dit cherchons-nous encore une fois à acquérir ce que nous sentons étranger à notre être ou souhaitons-nous redécouvrir un peu de la vie oubliée ? Inutile de tergiverser, on ne s'engage pas sur le chemin du diagnostic aurique « pour voir » ce que cela peut donner.

Un certain état d'esprit

Il ressort de tout cela que la véritable lecture des auras, qui ne laisse pas place au dilettantisme, requiert, de la part de celui qui cherche à la pratiquer, un état d'esprit tout à fait particulier, à vrai dire bien proche de la Sagesse. Cela représente évidemment un idéal vers lequel on doit tendre. Il peut y avoir une forme d'orgueil à ne vouloir entreprendre quoi que soit tant que l'on ne s'estime pas suffisamment parfait. Le plus réalisé d'entre les sages a conscience que l'horizon s'ouvre éternellement devant lui !

A ceux qui s'interrogent sur leur capacité d'entreprendre le travail dont il est traité ici, nous posons cette seule question :

« Aimez-vous les hommes, aimez-vous la vie dans toutes ses manifestations ? »

Il ne faut pas dire « oui » comme « d'accord » ou « ça va » mais il faut sentir ce « oui », c'est-à-dire avoir la certitude instantanée que son affirmation enclôt une volonté de don d'amour enracinée en nous. D'aucuns diront probablement que cette mise au point de plus n'est en fait que du verbiage. Cependant, la culture d'un état d'esprit cristallin demeurera toujours la règle d'or pour aborder les rives de ce qui s'appelle encore l'impalpable... et l'on ne saurait manquer une occasion de se réformer lorsque l'on vogue dans une telle direction.

Il va de soi que cet état de conscience bien spécifique débouche sur un état d'être analogue. L'être profond doit adhérer totalement à une autre vision du monde. Il le doit, non pas parce que cela correspond à une philosophie qui l'intéresse, mais parce que les vérités sous-jacentes à cette vision trouvent un écho authentique en lui. Nous ne saurions répéter suffisamment que l'on peut absorber le contenu total d'une bibliothèque consacrée à l'anatomie occulte de l'homme et ne rien vivre au plus profond de soi-même. Il ne s'agit donc pas d'être d'accord avec les principes déjà cités, il faut comprendre l'essence de la démarche spirituelle que cela exige. La terre n'a-t-elle pas déjà porté suffisamment de scribes ? Au tréfonds de sa jungle intérieure chacun est confronté un jour avec le choix de la mise en pratique ou non de son acquis. Nous ne voulons pas non plus opposer ici connaissance mentale ou intellectuelle et connaissance aimante. Il n'y a pas d'antagonisme quand on finit par comprendre que l'un peut venir au secours de l'autre selon le cas. Cela revient à dire que l'intellect doit savoir se laisser dominer par l'amour et que l'amour lui-même, à moins qu'il ne soit supra-humain, doit respecter une sorte de raison qui lui permet de se maintenir hors des ornières d'un mysticisme débridé et émotionnel.

Tout peut se résumer par ce que nous appellerons une recherche de compréhension sacrée de la Vie et de son Essence première. La solution, admettons-le, est d'une simplicité tellement enfantine qu'elle désarme l'immense majorité des hommes.

Quelle force lit l'aura?

Le secret, s'il en est un, tient presque tout entier dans la quête d'un certain état d'esprit... à tel point que nous n'hésiterons pas à affirmer ceci : *les yeux de chair ne sont rien de plus que le support utilisé pour l'apprentissage à la lecture de l'aura*. Nous voulons dire qu'en fait ce ne sont pas eux qui voient. Dès que la recherche dépasse le niveau éthérique ou vital, ils ne représentent plus qu'une aide mentale, un moyen par lequel nous nous repérons, un pont rassurant, parce que tangible, entre notre «surconscient» et notre conscience banale, quotidienne, à l'état de veille. Ils sont un traducteur et il convient de ne pas les assimiler à l'«auteur» premier de l'information recherchée.

Si ce ne sont pas nos deux yeux qui captent l'aura, qui en nous parvient alors à voir? Tout simplement une fonction issue de l'action conjuguée de deux glandes : la pinéale et la pituitaire. La première se situe à l'intérieur de la boîte crânienne, vers son sommet; la seconde plus bas, en arrière du front. Elles représentent la contrepartie physique des deux chakras supérieurs dont l'action concourt à créer le fameux « Troisième Œil » cité par bon nombre de Traditions. Si ces mêmes Traditions le placent en un point frontal précis, au niveau de la racine du nez, il serait inexact de penser, comme nous l'avons laissé entendre précédemment, que le sixième chakra seul est concerné. La fonction de clairvoyance à laquelle nous faisons appel pour la vision des auras naît d'une onde lancée du sixième plexus vers le septième.

Cette affirmation n'a évidemment à notre connaissance aucun fondement scientifique et nous ne la mentionnons que pour une meilleure compréhension du phénomène qui se place donc, d'emblée, à un niveau mystique.

La démarche intérieure que nous suggérons depuis le début de ce chapitre devra tenir compte du rôle de second plan occupé par les yeux de chair. Ainsi, celui qui essaiera de « voir » aura-t-il bien compris que ce sont surtout ses paupières intérieures qu'il lui faut absolument ouvrir. L'apprentissage dont il est question ici ne fera appel en aucun cas à une quelconque acuité visuelle. Bien au contraire, l'expérience démontre même que la myopie favorise les premiers pas vers la lecture des auras. Cela s'explique par le fait que l'attention de celui qui lit est peu captée, peu détournée de son but, par les contours précis du corps dense.

Tout cela nous pousse à dire qu'il est parfaitement possible à un être intérieurement avancé d'obtenir une vision des corps subtils, les yeux clos.

C'est en cherchant à soulever le voile de nos ténèbres intérieures que le travail s'opèrera en vérité..

CHAPITRE IV

Conseils préliminaires

Une fois la recherche intérieure acceptée, engagée même, une fois le point fait sur l'orgueil et la curiosité, vient le temps de la construction car il va nous falloir partir avec des bases qui n'ont peut-être rien à voir avec la façon dont nous avons vécu jusqu'à présent.

La neutralité

Nous avons vu que l'amour est l'agent premier avec lequel nous devrons paver le chemin de notre recherche... Mais l'amour, admettons-le, est un mot bien vague et qui se prête à mille extrapolations. Dans le travail qui est nôtre, il va impliquer une attitude de non-jugement par rapport à celui placé face à nous. Et cela impérativement. Pour l'homme occidental, il s'agit d'une attitude résolument neuve car sa société l'a accoutumé et même encouragé à juger de tout et de tout le monde, à tout répertorier une fois pour toutes, à classer par critères souvent arbitraires et donc à entretenir de façon sous-jacente un dualisme souverain. Dans le domaine de la lecture d'aura on comprendra aisément que la neutralité absolue doit être une règle d'or. Celui qui lit autrui pour lui venir en aide pénètre par ce type d'action dans sa vie intime. Il doit donc considérer cette forme de privilège comme sacrée et admettre que sa personnalité inférieure, qui dicte des appréciations rapides et des a-priori, n'a pas à entrer en ligne de compte dans ce travail. La position du lecteur d'aura est un peu analogue à celle du prêtre vrai qui n'a pas à juger ceux qu'il entend dans le secret du confessionnal mais doit plutôt les conseiller après avoir dressé un bilan de leur situation. Cette attitude de neutralité et de non-jugement est sans doute une des phases qui conduit à la maîtrise de la pensée et c'est à ce point de notre itinéraire que nous ferons une remarque importante.

La transparence

Une pensée est une force émanant du plus profond de notre être, force qui, selon son intensité et sa nature, est capable de s'immiscer dans nos différentes auras, d'en franchir la ceinture et de voguer vers autrui, vers le monde.

Il nous apparaît essentiel de bien saisir ce mécanisme qui, en fait, conditionne la qualité de tout ce qui survient dans notre univers, palpable ou non.

Cela nous amène à affirmer que, comme toute énergie, la pensée peut se transmuer selon les cas ou en élément générateur de vie ou en instrument parasite de celle-ci.

Une fois cette réalité admise, considérons le fait suivant : celui qui tente de lire l'aura d'autrui agit nécessairement à travers son propre rayonnement aurique. Si ce dernier n'a pas la pureté requise, s'il est pollué en quelque sorte par des pensées diverses et des jugements, le diagnostic sera totalement faussé. En effet, non seulement le lecteur aura dressé autour de lui le voile souillé de ses pensées du moment, mais encore il en aura projeté des éléments vers autrui. La transparence du cristal sera donc un idéal vers lequel chacun se devra de tendre. La recherche d'une forme de vacuité intérieure s'avère indispensable dans la voie qui est nôtre ici. Il n'entre pas dans nos propos d'approfondir cette quête de la vacuité et d'aborder les moyens permettant de la développer. De nombreux ouvrages de fond sont bien sûr déjà consacrés à un tel sujet. Nous désirons simplement souligner l'importance extrême de cette démarche dans le cas de la lecture des corps subtils. S'il faut aimer l'autre, il est également essentiel de ne pas se projeter vers l'autre et, en un certain sens, de polluer ainsi la vision que l'on peut avoir de lui.

Un certain «laisser agir»

Notre société occidentale veut aussi nous apprendre à agir vite. Elle nous enseigne une notion de temps totalement étrangère à celle requise pour un développement profond de l'être, puisque basée sur une forme de compétition. En fait, les concepts de rapidité et de lenteur sont tout aussi subjectifs que ceux de positif et de négatif. Là encore la méthode de travail qui doit être nôtre demande à ce que nous nous distanciions de semblables idées. Un travail de nature spirituelle, prenons-en bien conscience, ne saurait se concevoir que dans un contexte extra-temporel. Il ne s'agira donc pas de se fixer de délais. L'apprentissage de la lecture des auras peut prendre deux ans, vingt ans, une vie ou plus, il faut savoir que cela ne revêt aucune importance car ce qui est acquis, même si ce n'est pas à un niveau conscient, demeure. Admettre réellement cette idée, c'est faire fleurir un peu plus encore la sagesse en soi, c'est tout simplement briser une écorce intérieure, c'est aussi opérer un début de lâcher-prise qui empêche notre vie de se transformer en course d'obstacles. Sur le principe chacun est évidemment d'accord, mais dans le quotidien, sachons nous l'avouer, il en est tout autrement. Ce que des années de pratique nous enseigneront représentera toujours peu face à ce qui restera à découvrir. Ce n'est pourtant pas une question de patience... non... il semble que ce soit plutôt un problème de volonté ou de persévérance. Notons bien qu'il ne s'agit pas non plus d'opiniâtreté car il y a sous ce terme quelque chose qui ressemble à un raidissement de l'individu contraire à notre but. En fait, la subtilité est là : il faut apprendre à «vouloir» de tout notre être en éliminant ce qui fait intervenir notre petit ego. Il faut aussi nous décrisper et développer une force sereine, une certitude sacrée à la racine même de notre cœur. Nous voulons dire que cette forme de «vouloir» doit être assimilée à un «laisser-agir». Laisser agir l'énergie de Lumière nécessairement présente en nous, la laisser défricher les raideurs de notre mental. Un «laisser-agir» cependant très différent du «laisser-aller»!

En deux mots, il s'agit bien de nous transformer en «canal», en expulsant de notre démarche toute idée de désir personnel. Quelque chose au fond de chacun de nous peut voir, sait voir et «connaît». Que l'acceptation authentique de cette vérité soit donc notre guide... et nous aide à pratiquer sur nous un ardent travail d'épuration.

Sachons finalement brûler nos scories en permettant à notre cœur de s'exprimer comme il tente de nous le faire comprendre depuis toujours.

CHAPITRE V

Exercices préliminaires

Une page est maintenant tournée et nous allons pouvoir passer à l'action proprement dite. Tout au long des chapitres qui vont suivre nous serons obligatoirement amenés à utiliser les termes d'« exercice » ou d'« expérimentation ». Nous ne les maintenons que pour leur côté pratique car ce que nous souhaitons exprimer à travers eux ne correspond pas exactement à ce qu'ils laissent entendre communément. En fait, il ne s'agira pas de pratiquer des exercices en tant que spectateur d'une réalité à découvrir puisque l'implication personnelle doit être totale dans le cadre d'une telle démarche.

Tout d'abord, sur qui ou sur quoi travailler? Inutile d'aller chercher bien loin de soi puisque notre propre corps peut être notre premier objet d'étude. Il va donc nous appartenir, dans l'immédiat, d'établir un contact avec notre enveloppe la plus dense, l'éthérique.

L'auto-lecture

Commencez par choisir de préférence un local où la lumière est douce, un local qui, également, ne sera pas trop encombré par une foule d'objets, surtout si ceux-ci s'avèrent très colorés. Cette précaution évitera un certain nombre d'interférences. Maintenant que cela est fait, il vous faut trouver dans cette pièce, de façon impérative, une surface lisse, un pan de mur ou une porte, par exemple, dont la teinte est très claire et uniforme. Un blanc mat sera idéal. De préférence prenez soin de ne pas choisir cette surface sur le même côté de la pièce que la source de lumière dont vous disposez (certainement une fenêtre). Votre regard risquerait en effet d'être constamment distrait par la trop grande proximité de ce point lumineux.

Poser le regard

Ces quelques nécessités une fois observées, étendez alors l'un de vos bras, droit devant vous, sans crispation, à hauteur de vos yeux et de façon à ce que ce bras ait comme « fond de vision » la surface claire et plane choisie dans votre local. Regardez maintenant votre main, paisiblement, doigts écartés face à vous. Il ne s'agit pas, bien sûr, de la regarder « normalement » comme pour en analyser les caractéristiques. Il faut au contraire chercher à en apercevoir uniquement le contour tout en considérant que sa surface est inintéressante pour votre travail. Pour cela, ce n'est pas en fait votre main qu'il faut regarder mais un point imaginaire situé loin derrière elle. *Il ne convient donc pas de faire la mise au point de votre regard sur votre main.* Par ce simple procédé, cette dernière doit demeurer dans un certain flou et vous n'en percevrez plus que les contours. Ceux qui pratiquent la photographie comprendront aisément de quoi il s'agit lorsque nous parlons de

« mise au point ». La technique, si tant est que l'on puisse employer un tel mot, tient en grande partie dans le seul fait de ne pas ajuster le regard sur l'objet concerné. Une fois cela compris et appliqué, il est aussi possible dans les premiers temps de plisser légèrement les yeux de façon à ce que les détails de la main s'estompent davantage.

Ce type de regard sera immuable dans toute lecture d'aura. Rappelons-nous que nous ne devons pas chercher à « voir » quoi que ce soit mais que nous devons au contraire « laisser-agir » notre vue et opérer une détente profonde de notre corps et de notre conscience. Si toutes ces conditions se trouvent réunies vous remarquerez très vite un halo grisâtre autour de vos doigts puis de votre main entière. Cette zone lumineuse peut se manifester de quelques millimètres à deux ou trois centimètres. Vous noterez également très aisément que chacun de vos doigts se trouve prolongé par une sorte de faisceau d'énergie dont l'extrémité réelle vous échappe. Bougez légèrement vos doigts et vous constaterez que le phénomène varie en fonction du moindre de leurs déplacements. Avec un peu d'habitude vous vous apercevrez aussi que l'épaisseur de l'aura éthérique de votre main varie selon les endroits. Elle pourra vous paraître enflée ou au contraire presque absente au niveau des jointures. Il sera intéressant de pratiquer cet excercice à des heures très diverses de la journée et même en des saisons différentes. Vous remarquerez que l'aura vitale de votre main s'étend ou se rétrécit au rythme de votre santé et aussi des cycles saisonniers. Rien ne sert, dès les premières observations, de chercher à vouloir interpréter ce que l'on voit. Cela pourrait enclencher un processus mental susceptible de freiner le travail.

Fréquemment, lors des premières perceptions, un doute s'immisce sournoisement et ainsi il nous arrive d'entendre dire : « Oui, j'ai bien cru voir quelque chose mais... si c'était mon imagination ! » A cette interrogation bien légitime il n'y a rien à répondre si ce n'est qu'il est exact qu'un minimum de confiance en soi est indispensable pour entrer dans cette voie et qu'un grand nombre de constatations, citées au long de cet ouvrage, écarteront d'elles-mêmes l'idée d'auto-illusion.

Il se peut que cette première expérimentation assez simple présente néanmoins des difficultés pour certains. A ceux-là nous conseillons, toujours en maintenant la position du bras tendu, de tourner la main sur le côté et de rapprocher lentement le pouce et l'index. L'éthérique des deux doigts va s'épouser avant même que ceux-ci ne se touchent. Il se crée ainsi une sorte de pont d'énergie vitale entre le pouce et l'index qui sera aisément visible puisqu'une masse plus concentrée de force éthérique se constitue au même endroit.

Parallèlement à cet exercice vous pouvez maintenant en pratiquer un autre à l'aide d'un miroir. Il importe que celui-ci soit d'une taille assez grande (par exemple 50 × 50 cm). Placez-vous face à lui, à une distance variant dans l'idéal entre trois et quatre mètres. C'est en fait la distance minimale à observer impérativement, le regard devant toujours bénéficier d'un recul qui lui permette une appréciation d'ensemble. Tout comme dans le cas de votre main, vous vous serez assuré de la présence d'une surface très claire et uniforme derrière vous ou tout au moins derrière le haut de votre corps. Les conseils relatifs à votre pièce de travail sont bien sûr les mêmes que précédemment. Après avoir installé le calme en vous, vous fixez l'image de votre buste et de votre tête dans le miroir. Efforcez-vous de développer un regard stable. Rien ne sert de balayer des yeux votre propre reflet, bien au contraire. Comme précédemment, regardez un point précis, imaginaire, loin derrière lui, de façon à ne plus remarquer que la silhouette grisâtre et sans le moindre relief du haut de votre corps. Alors, progressivement, vous constaterez qu'une brume de teinte indéfinissable s'étend autour de votre tête et de vos épaules. La vision sera probablement de courte durée mais cela importe peu. Le but de cet exercice, comme celui du précédent, est de prendre un premier contact avec les radiances de l'être. La répétition de ce début de méthode doit vous apprendre à poser sur vous, et par extension sur la vie en général, un autre type de regard. Nous le répétons encore, il ne s'agit pas de forcer votre vision et de faire travailler vos yeux avec insistance. Ils sont votre simple point de repère ou encore la béquille sur laquelle vous vous appuyez. Laissez plutôt venir à vous le subtil car, en vérité, il n'y a aucune porte à enfoncer.

Une aide précieuse : la nature

Conjointement à ces toutes premières approches, un travail dans la nature sera d'une aide considérable. Cela est aisément compréhensible puisqu'une incommensurable source d'énergie vitale l'imprègne tout entière. Nos principaux alliés seront indiscutablement les roches, les collines, les arbres.

Une montagne avec ses amas rocheux dépourvus de toute intervention humaine, de tout artifice, ne représente-t-elle pas une partie du corps physique de la

Terre, tel qu'en lui-même, c'est-à-dire générateur d'un puissant rayonnement éthérique? Notre regard, identique à ce que nous avons déjà défini de lui, se laissera capter par les reliefs de la Terre aussi aisément que par les contours de la main.

Dans la grande majorité des cas, il est certain que l'aube et le crépuscule sont les deux moments de la journée se prêtant le mieux à ce travail puisqu'ils sont propices à créer des effets de silhouettes. Il n'est pas nécessaire que le ciel soit dégagé, il est seulement souhaitable qu'il présente un aspect uniforme.

Sans doute serez-vous surpris, dès les premières lectures, de l'étendue en épaisseur du corps éthérique de la Terre et de sa puissante luminosité. Ce que vous distinguerez s'étendra sur des centaines de mètres de hauteur. Sachez pourtant que cela ne constitue qu'une des couches composant l'éthérique de notre planète, trop important pour qu'un seul regard humain puisse l'appréhender dans toute sa densité. Un tel spectacle est toujours saisissant et l'on est étonné de remarquer que certains pics montagneux offrent des rayonnements subtils gigantesques, analogues aux prolongements que nous avons déjà signalés au bout des doigts de la main.

Une colline boisée, un grand arbre isolé peuvent offrir dans les mêmes conditions de très bons supports de travail puisque leur aura vitale est généralement très développée et qu'elle se laisse aisément deviner. Vous noterez aussi à quel point elle épouse fidèlement telle protubérance ou encore telle branche se détachant des autres. Cette observation toute simple, en dehors du travail qu'elle implique sur nous-même, aura le mérite de nous enseigner qu'il y a des roches et des arbres dont l'éner-

Aura éthérique d'une feuille non encore manifestée

gie vitale est plus forte que d'autres. Les conifères, en particulier, montrent une belle force de vie au contact de laquelle un organisme humain peut aisément et spontanément se recharger. Tout au long de vos observations, vous noterez sans doute que des arbres présentent des rayons éthériques ascendants alors que d'autres, au contraire, dirigent leur rayonnement vers le sol. Il y a là tout un champ d'investigations.

Demeurons encore un peu dans le domaine des végétaux et des arbres. S'il vous arrive de vous trouver en forêt alors qu'une coupe de bois vient juste d'y être faite, vous remarquerez certainement, en tenant évidemment compte de tous les éléments déjà cités, que l'éthérique des arbres venant d'être sectionnés reste toujours en place, droit dans le ciel pendant quelques jours, comme si rien ne s'était passé. Signalons simplement ce phénomène, nous y reviendrons par la suite.

Les premières manifestations du printemps pourront également vous procurer mille occasions de vous exercer. Vous choisirez par exemple une branche dont les bourgeons sont déjà bien éclos; fixez l'un de ces bourgeons sur fond de ciel uniforme, à un bon mètre de vous. Avec un peu d'habitude et beaucoup d'amour envers le végétal que vous avez trouvé, vous ne tarderez pas à voir apparaître, légèrement au-dessus du bourgeon en question, la silhouette éthérique de la future feuille qu'il fera naître.

Cette découverte est riche d'enseignements, elle nous permet de mieux comprendre ce que nous avions annoncé précédemment, à savoir que les manifestations subtiles de la vie préexistent à ses manifestations tangibles. En d'autres termes, la matière dense se coule progressivement dans le moule éthérique qui lui impose sa forme. Cette loi s'applique à tous les règnes de la Vie dans notre monde. Ce sont les essences conjuguées des forces animant les quatre éléments de la Création visible qui ont pour fonction de tisser les coques éthériques à partir de données plus subtiles encore. Ces essences sont des êtres à part entière que les Orientaux ont appelés Dévas. Cette observation aisée et les réflexions qu'elle implique nécessairement devraient nous permettre de mieux comprendre le pourquoi du respect que nous devons à la nature.

Et si une pierre n'était pas simplement une pierre, c'est-à-dire un assemblage d'atomes dont on fait ce que l'on veut, comme l'on veut...? Et si, bien sûr, une plante ou un animal étaient beaucoup plus que ce qu'ils laissent entrevoir d'eux à nos yeux de chair...? Si nous admettions enfin que ce « quelque chose » qui dirige notre vie coule également dans leurs veines...

Le climat

Certaines conditions climatiques favoriseront notre recherche des radiances subtiles. Observons par exemple un sujet quelconque juste avant un orage ou une chute de neige; il y a un laps de temps très court pendant lequel la perception est simplifiée. D'une manière générale cependant, un froid excessivement sec et une forte chaleur du même type faciliteront la tâche. Nous avons en effet constaté que la présence d'humidité dans l'air est très défavorable à une bonne approche de l'énergie éthérique qui semble alors se disperser quelque peu. On peut être surpris que des critères d'ordre électrique ou magnétique aient une influence sur des manifestations immatérielles. Cependant, il faut bien s'imprégner de ceci : l'univers vital est si proche de notre monde concret que certains n'ont pas hésité à affirmer qu'il en fait partie intégrante. Nous pouvons de toute façon suggérer qu'il représente le quatrième état de la matière après le solide, le liquide et le gazeux.

Les objets

Quittons maintenant le domaine des végétaux et livrons-nous à quelques observations d'objets, toujours dans des conditions analogues de « décor » et d'éclairage. Le résultat sera moins spectaculaire que précédemment mais mérite néanmoins d'être cité car, si ce que nous appelons « objets inanimés » est doué d'une radiance éthérique, cela nous amène nécessairement à admettre que les molécules qui les constituent renferment en elles toujours le même grand Principe de Vie. Il ne s'agit pas bien sûr de prêter une « conscience » aux « choses » puisqu'elles sont dépourvues d'une aura autre que vitale, mais de réfléchir au fait qu'il y a une étincelle de vie en elles qui mérite un minimum de respect et qui attend sans doute une éclosion, à un moment donné, dans l'océan cosmique.

Quoi qu'il en soit et d'un point de vue plus pratique, il nous sera très profitable d'exercer notre capacité d'amour dans la recherche des auras en observant régulièrement des objets constitués de matériaux très différents : des métaux, des bois, des tissus, des matières synthétiques. Des objets présentant plusieurs parties de nature différente seront notamment intéressants car leur éthérique offre des ruptures et des rayonnements très variés dont le repérage encourage celui qui débute. On pourra remarquer de cette façon qu'il y a des matériaux beaucoup plus vivants que d'autres, que certains paraissent presque morts et d'autres anormalement lumineux, de par la matière dont ils sont raits.

Ce dernier phénomène est tout à fait significatif dans le cas d'objets de culte. On peut voir, par exemple, des statuettes auréolées d'une énergie bien supérieure à l'éthérique. Les formes engendrées par la pensée, qu'elles soient d'amour, de dévotion, de superstition, ou pures manifestations mentales, concourent à « charger » un objet. En le transformant en accumulateur, elles le dotent d'un potentiel de vie qui lui donne une sorte d'autonomie capable d'influencer ceux qui l'approchent, en particulier les êtres sensitifs.

Les hommes

Les animaux étant difficilement observables du fait de leur grande mobilité[1], il est évident que les êtres humains, ceux que nous croisons quotidiennement dans la rue, seront d'une aide considérable à notre avance. Encore une fois précisons l'état d'esprit de neutralité et surtout d'amour qui doit présider à cette démarche. Il ne s'agit pas de « percer à jour » l'autre mais d'apprendre à l'approcher et à l'aimer autrement.

Nous passons dans le cas présent à un stade un peu différent de notre apprentissage car il ne s'agit pas évidemment d'attendre les conditions idéales dans une rue

1. Il est d'ailleurs amusant de noter que beaucoup d'animaux se dérobent intuitivement aux regards de ceux qui tentent de les observer différemment. N'ont-ils pas, eux aussi, leur intimité ?

pour affiner nos perceptions. Cette façon de travailler doit essentiellement nous apprendre à cultiver une forme de paix en nous, au milieu du tumulte et aussi à lutter contre la distraction qui a tôt fait de capter le regard dans des circonstances appropriées. Il ne sera surtout pas question, et nous verrons pourquoi plus loin, de tirer des conclusions de ce que nous capterons dans un semblable cas. L'unique but est, répétons-le, de discipliner notre faculté de ressentir dans des conditions difficiles.

Un champ d'étude tout autre nous sera proposé l'été en bord de mer, sur une plage. L'air est alors sec et les corps dévêtus laissent échapper de façon plus perceptible leurs radiances. Si vous vous trouvez allongé sur le sable, votre position sera idéale car, ainsi, il vous sera aisé de trouver des silhouettes se détachant dans l'uniformité du ciel. Vous constaterez certainement avec facilité que la proximité d'une eau salée a tendance à dynamiser le rayonnement éthérique. Dans tous les cas, il conviendra plutôt de concentrer votre attention vers le haut des corps observés, les radiances y sont en général beaucoup plus lumineuses.

Un phénomène, au premier abord étrange, se produit alors : vous orientez votre vue vers une personne qui marche sur la grève par exemple et vous êtes surpris de constater que ce n'est pas son éthérique qui vous apparaît mais celui de quelqu'un d'autre situé à deux ou trois mètres d'elle. Ce phénomène s'explique par le fait que votre qualité de regard n'est pas suffisamment exercée et que les détails du physique de l'être que vous avez choisi pour étude absorbent trop votre mental et votre attention, souvent d'ailleurs à votre insu. Il est logique, dans ce cas, que l'éthérique de la personne située davantage vers l'extrémité de votre champ visuel vous apparaisse puisque son corps, n'ayant pas fait l'objet de vos préoccupations, n'a pris que l'importance d'une silhouette.

Cette expérience est aussi un indice susceptible de vous aider à comprendre que votre attitude intérieure ne présente pas encore la justesse requise. Elle met en évidence un vouloir beaucoup trop personnel et aussi une forme de curiosité qu'il faudra combattre. Ce sera le moment idéal pour faire «lâcher prise» à votre petite personnalité.

Tandis que nous sommes encore paisiblement allongés sur le sable d'une plage, nous pouvons nous livrer à un autre travail, plus simple et aussi tout à fait bénéfique. Il s'agit de fixer intensément le bleu du ciel, à condition bien sûr que sa luminosité ne nous indispose pas. Notre regard, ne pouvant s'accrocher à rien de précis, va se perdre dans une sorte de néant ou plutôt d'infini. Cela nous apprendra un peu plus à ne l'accommoder sur rien et par conséquent à prolonger d'une autre façon l'élément de technique qui veut que nous concentrions notre attention sur un lointain point imaginaire. Cette façon d'agir doit évidemment s'accompagner d'un élan d'amour et d'une volonté de communion avec le cosmos, faute de quoi l'enseignement qu'elle véhicule réellement nous échapperait. En effet l'un des buts non négligeables de ce travail de la vision est de nous rendre perceptibles les particules de *prâna* en suspension autour de nous. Le prâna, pour ceux à qui ce terme n'est pas familier, peut être comparé à une fabuleuse énergie présente en tout et autour de tout et qui, baignant la Création tout entière de sa présence, infuse la Force de Vie jusque dans ses plus infimes manifestations. L'œil, ou plutôt l'âme qui apprend à regarder l'infini dans les conditions et l'état de conscience déjà évoqués, parvient aisément à discerner ce prâna. Il lui apparaît sous la forme d'une myriade de points microscopiques, argentés, se déplaçant en tous sens à grande vitesse sans jamais s'entrechoquer. Une certaine habitude permet de se rendre compte que chacun de ces grains de vie se présente comme une cellule translucide possédant en son centre une sorte de noyau[1]. Un phénomène identique pourra par ailleurs être observé dans l'obscurité totale où le regard a aussi la possibilité de se « perdre » aisément. Cela ne nous fera-t-il pas comprendre que, quelles que soient les conditions dans lesquelles nous nous trouvons, nous devons toujours nous tourner vers le côté lumière de la vie, à jamais omniprésent.

Le travail de la lecture aurique proposé dans cet ouvrage peut se trouver considérablement renforcé par une meilleure absorption du prâna, plus consciente, au cours de longues inspirations et expirations. Comprendre du fond du cœur qu'à chaque instant de notre existence nous nous nourrissons de l'essence même de la Vie, de sa divinité, cela fait aussi partie intégrante de l'œuvre à accomplir sur nous-même et pour l'humanité.

On voit donc mieux ici l'importance du cheminement philosophique, intérieur, et pour tout dire spirituel, auquel nous amène obligatoirement la lecture de l'aura

1. Il ne faut pas confondre cela avec certaines perceptions rétiniennes par ailleurs beaucoup plus grossières et qui se modifient avec les mouvements de l'œil.

Le rythme du travail

Nous avons jusqu'à présent évoqué un certain nombre d'exercices qui présupposent que chacun consacre quelque temps de sa vie à l'étude des auras.

A ce propos nous ne saurions trop insister sur cette notion de temps. Nous voulons vous entretenir, en fait, de régularité et de fréquence. Disons-le d'emblée, rien ne servira réellement de se ménager, par exemple, une heure de travail par semaine, un jour donné. Des exercices quotidiens sont indispensables, non pas seulement dans des conditions idéales mais dans les maintes circonstances de la vie. Un panier d'œufs se trouve fortuitement face à vous?... et si vous tentiez d'en saisir le rayonnement subtil? Le chat est pelotonné sur son coussin? Ce serait peut-être l'instant rêvé pour apprendre à le mieux connaître... Nous voulons signifier par cela que l'apprentissage de la perception des auras doit absolument faire partie intégrante de l'existence de chaque jour. Elle doit être une nouvelle façon de communier avec la Vie. Une sereine persévérance et une inébranlable régularité seront parmi vos atouts majeurs. Un automatisme doit éclore en vous, non pas, loin de là, sous la forme d'une volonté obsessionnelle de «voir» envers et contre tout, mais sous l'aspect d'un remodelage constant de votre façon d'aborder ce qui vous entoure. Mieux valent aussi vingt exercices d'une minute répartis sur une journée, qu'une demi-heure quotidienne où l'on se fixe un but souvent mental et où l'on se crispe pour enfin se fatiguer les yeux... Comme nous l'avons dit, il est mille occasions d'apprendre, parfois insoupçonnées et tout à fait surprenantes.

Nous nous souvenons tout particulièrement d'un poisson mort venant d'être retiré d'un aquarium recréant un milieu tropical. Ses congénères, comme cela arrive souvent, l'avaient déjà amputé de la totalité de la queue. L'animal était posé sur une feuille de papier blanc et nous l'observions sans idée bien précise. Cependant, très rapidement, apparut, sans que nous l'eussions cherché, l'empreinte éthérique de la queue sectionnée, à la bonne place, dans le prolongement logique du corps. Le poisson venait à peine de mourir et son rayonnement éthérique, encore présent, s'évanouit au bout de quelques minutes... Cette constatation est à rapprocher de celle évoquée au sujet des arbres que l'on vient d'abattre. Une empreinte éthérique persiste quelque temps après la disparition de sa contrepartie physique. Cela nous fait songer également à ces personnes ayant subi l'amputation d'un membre lors d'une opération et qui ont encore mal à l'endroit précis du membre disparu. Sa contrepartie vitale non encore dissoute et toujours en place continue de fournir des informations au corps physique.

Ce qu'il ne faut pas perdre de vue, c'est que chacun doit se mettre à l'épreuve, le plus possible, et ne pas rater une occasion de se tester, donc de se mieux connaître, en faisant le point sur les circonstances qui lui correspondent le mieux. Il va de soi que tous les conseils d'expérimentation qui ont précédé ne sont que d'ordre général, c'est-à-dire pouvant s'appliquer à la grande majorité d'entre nous. Tout en les prenant comme points de repère nous conseillons à chacun d'en élargir la gamme.

Notons au passage que la surface de couleur claire que nous avons décrite pour les premiers exercices favorise peu le travail de certaines personnes. Celles-ci devront alors s'orienter vers la recherche d'un fond uniforme sombre, noir de préférence.

Avant d'aller plus avant nous insistons sur le fait qu'il convient d'avoir bien assimilé les notions et les exercices évoqués jusqu'à présent avant d'entreprendre le travail proprement dit dont il va être question.

Soyons-en bien conscients, ici comme en toutes circonstances, ne semons pas si nous n'avons pas labouré la terre, ainsi qu'il se doit...

CHAPITRE VI

Lecture des corps subtils

Le processus est maintenant engagé, vous avez commencé à vous mieux connaître et par un travail répété vous avez opéré une première approche de la flamme de Vie qui se dégage de toute chose, de tout être. Vous avez surtout appris, en vérité, à développer un regard neuf...

Les circonstances

Afin de poursuivre la tâche dans de bonnes conditions, il importe dorénavant de trouver un local qui vous servira réellement de « base » et non plus simplement de lieu d'expérimentation occasionnelle. Nous préconisons le choix d'une pièce d'au moins trois mètres sur quatre et qui sera utilisée dans le sens de sa longueur. Il est nécessaire que les murs de ce lieu soient aussi neutres que possible ou, tout au moins, qu'il n'y ait pas d'objet dont la couleur vive ou le reflet puisse créer un pôle d'attraction pour le regard. D'une manière générale, si l'on veut pouvoir travailler sans interférence, il faut éviter tout local dont les murs sont couverts d'une tapisserie aux motifs bariolés ou, évidemment, de posters fluorescents. Il est également souhaitable qu'aucune source de lumière extérieure ne puisse s'introduire dans la pièce. Si celle-ci possède une fenêtre, il faudra qu'elle soit munie de rideaux opaques de façon à ce que vous n'ayez qu'à vous préoccuper d'un éclairage intérieur modulable.

Venons-en maintenant au décor devant lequel vous placerez vos sujets. Il vous faudra un plan lisse d'un minimum de trois mètres sur deux mètres vingt de hauteur. Un grand mur peint avec un blanc mat ou satiné sera idéal, à moins que vos moyens financiers ne vous permettent d'acheter au mètre un écran perlé semblable à ceux utilisés pour les projections de diapositives. Un grand drap blanc peut aussi, à la rigueur, convenir mais il faudra s'assurer qu'il est bien tendu et qu'il ne conserve la trace d'aucun pli susceptible de distraire le regard. Ici encore, bien sûr, ce sera à vous de déterminer si la teinte noire vous convient davantage. Dans tous les cas vous éliminerez les types de fond qui présentent des reflets. Il va de soi que plus un écran sera important en largeur comme en hauteur, plus les conditions seront favorables. Si la perception des trois premières radiances peut se satisfaire d'un plan de dimensions moyennes, la perception de l'aura causale et l'analyse du chakra supérieur requièrent un champ d'observation plus vaste. Plus un être est pur, plus son avancement intérieur est important et plus sa coque aurique se projette loin de lui. Il n'y a pas de limitation à la progression de cette qualité de lumière. Même si l'on n'a pas la possibilité de travailler en collaboration avec un être semblable dans la vie quotidienne, il faut en tout cas savoir qu'un écran trop petit, quelle que soit sa nature, est un obstacle à une bonne étude.

Sans plus attendre, déterminons l'éclairage de la pièce

que vous aurez choisie. Nous avons éliminé d'emblée une source de lumière naturelle parce que celle-ci est trop souvent susceptible de variations et que l'on peut mal la diriger en fonction de l'emplacement de l'écran. Les peuples qui autrefois prenaient l'aura en compte utilisaient fréquemment de petites lampes à huile. Cela présentait des inconvénients notables puisque la luminosité ainsi obtenue n'était pas stable mais « dansait » parfois et puisqu'elle était de coloration nettement jaunâtre. Rien ne servira donc de chercher à reproduire les conditions du passé. Il vous faudra une lumière, la plus blanche possible, se rapprochant de celle du jour. C'est la raison pour laquelle l'emploi d'une ampoule électrique de type halogène semble idéal.

L'intensité de la source lumineuse ne devra pas non plus être négligée. Il importe que l'éclairage soit doux et diffus et de ne pas oublier que l'estimation de cette douceur est souvent fonction de la sensibilité visuelle et de la réceptivité de chacun. La solution réside dans l'utilisation d'un variateur de lumière identique à ceux que le commerce propose. Vous pouvez ainsi travailler avec précision en choisissant l'ambiance lumineuse exacte qui vous correspond.

Où faut-il maintenant disposer cet éclairage? Sur le sol, en bas du plan qui vous sert d'écran, de façon à obtenir la lumière la plus « rasante » possible. Dans tous les cas, il faudra que vos yeux soient dans l'impossibilité de capter directement la source lumineuse. Votre ampoule sera donc disposée au ras du sol et dissimulée par une sorte de tout petit paravent dont vous déterminerez vous-même la composition. Sa seule fonction véritable est d'empêcher un éblouissement de vos yeux.

Voici maintenant un second dispositif tout à fait adapté à la lecture des auras mais dont la mise en place s'avère plus difficile. Elle demande à ce que l'on se procure une très grande feuille de papier de riz et qu'on la fixe sur un cadre de bois de façon à obtenir un panneau léger et translucide identique à ceux utilisés au Japon. Le papier de riz peut aussi être remplacé par un tissu fin. L'intérêt d'un tel écran réside dans sa transparence. Il suffit de placer alors derrière lui la source de lumière choisie pour obtenir des conditions d'étude tout à fait idéales. Un corps placé devant un semblable plan lumineux prendra en effet très rapidement l'aspect d'une silhouette[1].

Autre détail pratique : veillez aussi à ce que votre pièce bénéficie d'un chauffage correct. Un excès de froid ou de chaleur a des répercussions directes sur l'aura d'un corps. La forte chaleur permet aux rayonnements subtils de s'expanser anormalement tandis que le froid, au contraire, les contracte jusqu'à les rendre difficilement perceptibles..

Le sujet

Ces problèmes d'installation une fois résolus, il vous faut savoir maintenant qui va vous prêter son concours en tant que sujet d'étude.

Il est important, nous semble-t-il, que ce soit un être qui vous connaisse bien, qui a toute confiance en vous et qui, de plus, comprend vos motivations. En d'autres termes, il est nettement préférable que vos auras respec-

1. Ce dispositif est particulièrement conseillé pour une visualisation des «nadis».

tives se sentent en harmonie. L'idéal sera sans doute de travailler à plusieurs et d'intervertir les rôles, tantôt lecteur, tantôt sujet d'observation, à condition bien sûr que l'on ait la certitude d'être vraiment unis spirituellement.

Pour une bonne étude, celui qui accepte le rôle de sujet devra s'assurer de sa propreté physique. La présence excessive de sueur, par exemple, polluera nécessairement tout rayonnement. Les déchets véhiculés par la transpiration ont tôt fait de parasiter la radiance éthérique en la rendant trouble et très irrégulière selon les endroits du corps. Les indications concernant le corps vital sont donc faussées dans un tel cas. De même, n'importe quel corps étranger qui recouvre la peau émet sa propre aura et perturbe une approche juste des corps subtils.

Sans tomber dans des excès, il peut être parfois utile que la personne se prêtant à l'étude prenne une douche juste avant la lecture. Cela ne se justifie bien sûr que si l'on veut se donner vraiment les conditions optimales de vision et si un diagnostic très précis s'avère souhaitable. Dans ce cas, il faudra que le corps observé ne conserve plus de traces d'humidité puisque celle-ci, nous l'avons vu, a tendance à disperser la première aura.

Dans tous les cas de lecture, le mieux sera de demander à votre sujet de se brosser énergiquement les cheveux surtout si ceux-ci sont abondants. Une sorte d'enveloppe d'électricité statique à peine perceptible prend très souvent naissance à ce niveau du corps et peut aussi fausser le type de perception que vous recherchez. C'est un détail qui peut avoir son importance. On comprend facilement que rien ne sert, dans le cadre de la lecture des auras, de travailler dans un permanent « à peu près » surtout si l'on se préoccupe, ce qui doit être le cas, de la santé de l'être.

Il convient maintenant de s'arrêter au côté vestimentaire de la question. Nous avons vu à maintes reprises que tout ce qui existe à la surface de notre monde est doté d'une aura. Les vêtements en fibres naturelles ou synthétiques n'en sont évidemment pas exclus, d'autant plus qu'ils se chargent en permanence des scories éthériques de l'être qui les porte, quand ce ne sont pas des formes-pensées de celui-ci. Par scories éthériques nous entendons des résidus de l'énergie vitale, des particules infimes mais nombreuses de la force éthérique qui se sont « dé-dynamisées » face aux obstacles de la vie quotidienne. A moins que l'on ne veuille capter l'aura des tissus, ce qui est d'un intérêt relatif, il est donc capital que l'être se prêtant à une lecture soit ou dévêtu ou en sous-vêtements. Ceux-ci devront être en coton de couleur claire et unie. Les fibres synthétiques, il faut le savoir, émettent de nombreuses radiances, généralement d'un jaune très électrique, capables de voiler complètement le rayonnement du corps qu'elles recouvrent. De même, des couleurs vives perturbent les perceptions. Nous attirons aussi votre attention sur la présence de parties métalliques dans certains sous-vêtements qui parasitent totalement la qualité des observations. Leur important rayonnement, souvent très grisâtre, peut faire supposer la présence de troubles graves qui, en fait, n'en sont pas. Il faut donc être vigilant et s'assurer de tout avant de tirer des conclusions.

Nous nous souvenons en particulier d'une inquiétante coloration faisant songer d'emblée à un cancer du sein et qui en fait n'était provoquée que par l'armature du sous-vêtement. En quelques secondes et après réflexion, la situation de préoccupante qu'elle était devint simplement cocasse... Nous insistons par conséquent encore une fois sur la prudence à cultiver ainsi que sur l'observation de certaines règles.

Il va de soi qu'aucune gêne ne doit naître entre le lecteur et celui qui se prête à l'expérimentation. Si cela était, la lecture elle-même s'en trouverait affectée. Un excès de pudeur et même de timidité contractent systématiquement l'ensemble des auras jusqu'à le rendre imperceptible et anodin.

Il vous appartiendra de créer un climat de confiance, de chaleur et d'amitié, s'il n'existe pas déjà, entre votre sujet et vous. Il sera de toute façon préférable que celui qui se tient face à vous comprenne les raisons de cette nécessité afin de dissiper d'éventuelles arrière-pensées. Toute idée de voyeurisme est d'ailleurs à exclure pour la simple raison qu'elle parasiterait la propre aura du lecteur, rendrait la perception presque nulle et fausserait ainsi toute tentative de diagnostic.

Pour ces raisons, faites en sorte que celui ou ceux qui vous prêtent leur concours le fassent avec décontraction. De cette entente mutuelle dépend plus qu'il n'y paraît une grande partie de la bonne marche du travail.

Quelques petites erreurs restent encore à éviter. L'être dont vous allez essayer de percevoir l'aura devra ôter, le temps de l'expérimentation, bijoux, pierres, montres et lunettes dont les constituants, on le sait maintenant, vivent et rayonnent à leur façon. Pour vous en convaincre, tentez de visualiser l'aura vitale de certaines parties du corps portant des bijoux. Les reflets subtils provoqués par métaux et pierres, même réputés nobles et précieux, pourront vous surprendre.

Cette remarque n'a bien sûr de valeur que pour la lecture de l'aura proprement dite et ne signifie en aucun cas que le port de ces matières ne soit pas souhaitable.

La première lecture

Lorsque toutes ces conditions seront observées au mieux, vous demanderez à votre sujet de se placer à une vingtaine de centimètres de la toile de fond choisie. Celle-ci aura été au préalable éclairée comme il se doit. Si les conseils ont été bien suivis, il ne doit y avoir trace d'aucune ombre portée sur l'écran. Le cas échéant, il faudrait remédier à cela, car le détail, vous vous en rendrez compte, est capital.

Muni de votre variateur de lumière, éloignez-vous maintenant d'un minimum de quatre mètres de l'être avec lequel vous travaillez. Tandis que vous commencez à établir une certaine vacuité en vous et que vous ajustez votre regard, réglez l'intensité de l'éclairage de façon à ce que celui-ci convienne très exactement à votre sensibilité. N'hésitez pas, dans les premiers temps, à faire varier très rapidement cette intensité, vous repérerez mieux ainsi la qualité de lumière qui vous est favorable. Une fois que ce petit problème est réglé, votre rôle ne se bornera pas à vous imprégner du rayonnement de la silhouette de votre sujet placé de face. En effet, une vision de profil puis de dos sera indispensable car elle révèlera dans chaque cas des éléments nouveaux. Notez bien ce terme « imprégner » qui vient d'être utilisé. Au risque de nous répéter, le but n'est en aucun cas de « chercher à voir », ce qui reviendrait à projeter un désir personnel vers l'autre, mais de laisser venir à vous les informations. La démarche est très différente et ne doit pas prêter à ambiguïté. La lecture prendra la forme d'une espèce de communion intérieure puisqu'un pont est alors jeté entre une âme et une autre. Cet aspect sacré de la question ne doit évidemment pas exclure la bonne humeur car le fait de se prendre très au sérieux n'est-il pas encore une manifestation insidieuse de l'ego?

Quel que soit d'ailleurs notre degré de perception n'oublions jamais que nous ne sommes que des apprentis en la matière, car l'œuf aurique peut s'assimiler à l'encyclopédie de chaque être et sa lecture est infinie. Il contient tous les champs dans lesquels sa réalité profonde ou apparente s'est manifestée depuis la Nuit des Temps.

Il est à noter qu'une lecture ne devrait pas excéder cinq ou six minutes au début. Les yeux, même s'ils ne doivent jouer que le rôle de support, ont tôt fait d'accumuler une certaine fatigue et rien ne servira jamais d'en forcer l'attention.

Les obstacles

Dès que vous commencerez à exercer la qualité de regard que nous avons longuement décrite, dès aussi que cela aura pu être fait avec un maximum de conditions idéales, il est probable que les premières tentatives de lecture vous enthousiasmeront car vous percevrez assez vite au-delà même de l'enveloppe éthérique.

C'est d'ailleurs de cet enthousiasme dont il faudra vous méfier. Ce sentiment prendra en effet naissance au niveau de votre émotivité donc au plus profond de votre personnalité incarnée. Les premières séances ayant été encourageantes dans la majorité des cas, il est probable que vous cherchiez lors de chaque nouveau rendez-vous à retrouver vos perceptions antérieures. L'erreur fondamentale, source de bien des piétinements, est là. Cela est logique puisque votre mental intervient dans un tel processus. Il intervient même à un niveau qui n'est pas toujours très conscient. Vous devrez donc absolument lutter contre ce désir de reprovoquer en vous la vision déjà obtenue car vous n'êtes plus alors en état d'écoute ou d'éveil mais à l'affût de quelque chose dans lequel la raison froide et même l'émotivité interviennent.

Ce que nous appelons les « projections mentales » peut encore prendre une autre apparence. En effet, dans le cas où vous connaissez très bien l'être avec qui vous travaillez, vous êtes déjà en possession d'un certain nombre de renseignements relatifs à son tempérament, à son état d'esprit présent et à sa santé. Loin de représenter un avantage, ces données peuvent se transformer en handicap si vous n'en faites pas table rase. Inconsciemment, il faut savoir que chacun est capable de s'autosuggestionner et de projeter ainsi vers autrui l'image de ce qu'il croit nécessairement trouver. Nous citons ceci pour mémoire car un tel risque est cependant minime. Imaginez, dans un cas tout simple, que votre sujet soit très fatigué et que vous le sachiez. Automatiquement, vous vous faites à l'idée que le reflet éthérique que vous allez déceler chez lui sera fade et très étroit, ce qui n'est pas forcément le cas puisque le corps vital témoigne essentiellement des réserves énergétiques profondes de l'individu. Il y a de grandes fatigues qui sont en fait sans conséquences importantes car elles n'affectent pas la vitalité de base de l'organisme donc pas non plus son rayonnement éthérique. Efforcez-vous par conséquent de ne pas projeter vers autrui ce qu'une sorte de logique vous obligerait à y trouver.

En résumé, il y a trois obstacles à surmonter : l'analyse intellectuelle de l'autre et de la situation, le souhait personnel, égotique de voir, de réussir, et enfin la volonté de retrouver une perception antérieure.

Cela nous reporte toujours à ces notions de neutralité et de détachement qui sont, reconnaissons-le, si difficiles à maintenir.

CHAPITRE VII

Observation des premiers phénomènes

La lecture de l'aura n'étant pas une technique en elle-même, nul ne saurait vous brosser un tableau exact de l'ordre dans lequel les différentes perceptions viendront à vous. Ne vous attendez pas, sans non plus en faire une loi, à ce que l'ensemble des auras vous apparaisse rapidement, aisément, aussi distinctement que les rayons d'un arc-en-ciel. La logique voudrait que les enveloppes lumineuses se dévoilent successivement selon leur plus ou moins grand éloignement du corps physique. Dans ces conditions, l'aura mentale devrait vous apparaître après que vous ayez maîtrisé la vision de l'aura astrale. En réalité ce n'est pas toujours ce qui se produit, loin s'en faut. Sans raison réellement décelable, il est probable que vous perceviez les enveloppes dans le désordre, aura éthérique mise à part. Cela est d'ailleurs susceptible de varier d'un jour à l'autre. Il est généralement fort difficile à un débutant de percevoir une radiance au-delà de l'aura mentale. Cependant nous aurions tort d'ériger quoi que ce soit en principe absolu car nous avons été témoins de nombreux cas où des personnes se révélant incapables d'apercevoir le rayonnement astral captaient spontanément le rayonnement mental, voire, mais plus exceptionnellement, l'émanation causale... la raison essentielle de ces phénomènes imprévisibles se situe vraisemblablement au niveau de l'état de conscience momentané de celui qui lit.

Notre conception habituelle de la logique peut être également mise à l'épreuve dans d'autres circonstances. L'expérience nous a maintes fois prouvé que l'apprenti lecteur passe parfois par de longues périodes où sa capacité de percevoir lui fait soudainement cruellement défaut. Le découragement qui s'en suit dans la plupart des cas fait partie intégrante du cheminement. En fait, il faut surtout considérer ces étapes d'incapacité apparente comme des phases de maturation. Elles ne sont en aucun cas le signe que rien ne se passe plus sur le plan subtil ou qu'il y a « régression ».

L'éthérique et les nadis

Attachons-nous au rayonnement vital. Celui-ci présente un certain nombre de particularités dignes d'être citées. Le fait qu'il épouse très exactement les contours du corps physique ne l'empêche pas de donner parfois l'impression de s'adonner à certaines fantaisies.

Livrez-vous par exemple à cette expérience : demandez à votre sujet de se tenir bien immobile pendant environ une minute puis suggérez-lui de faire soudainement un bond de côté, ou de s'accroupir rapidement, ou même encore de lever énergiquement un bras sur le côté de son corps. Il sera cependant préférable que vous ne soyez pas prévenu de l'instant précis de ce geste afin de ne pas trop canaliser votre attention.

Sitôt le mouvement accompli vous remarquerez que l'empreinte éthérique de l'être observé demeure encore à sa place initiale pendant une seconde ou deux puis progressivement se déplace en « glissant » pour se fixer à nouveau autour de la silhouette nouvellement disposée. Précisons que ce n'est pas le corps éthérique lui-même qui se détache ici un court instant de l'organisme physique. Ce qui est perçu ne représente rien d'autre que sa marque épisodique dans l'atmosphère. Cette étude n'a pas d'autre but que de vous aider à mieux vous rendre compte de la réalité et de la densité du corps vital.

La perception très nette de « filé » issu de la masse éthérique et allant rejoindre sa contrepartie matérielle vous prouvera que ce qui a été observé n'est pas dû à un phénomène de persistance rétinienne.

Nous insisterons maintenant sur l'attention toute particulière qu'il conviendra de porter à cette enveloppe subtile. Le fait qu'elle ne soit animée par aucune conscience véritable, le fait donc qu'elle serve de relais entre le matériel et l'immatériel aboutit, trop fréquemment, à ce qu'on la néglige. Il s'agit à notre avis d'une erreur car elle est porteuse d'un très grand nombre d'indications concernant la circulation du prâna dans l'organisme. De cette irrigation d'un corps en énergie vitale de base dépendent en grande partie le bon fonctionnement et l'équilibre des différents organes de ce corps.

Comment apparaît cette dynamisation par le prâna? Tout d'abord au niveau de l'épaisseur et de la densité de l'aura éthérique. Dans un premier temps vous laisserez votre attention s'absorber à ce degré d'étude. Bien que nous n'en soyons pas à l'interprétation de ce qui est observé, précisons néanmoins d'une façon générale que

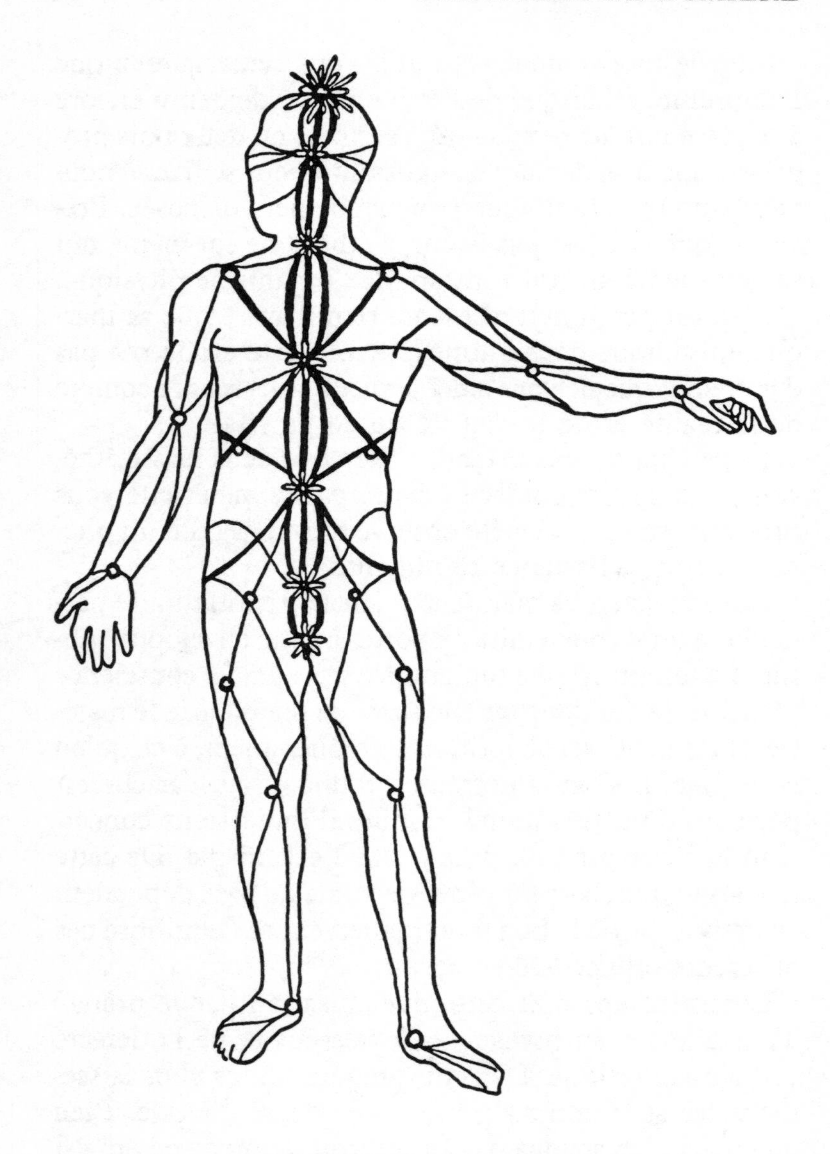

Circuit des principaux nadis

si un point précis d'un corps présente un reflet éthérique plus mince qu'ailleurs, cela indique une faiblesse de l'irrigation prânique. Il y a d'ailleurs des ruptures très nettes de cette irrigation qui se manifestent par des creux ou des trous ponctuels à la surface de cette aura. Vous vous efforcerez par conséquent d'en laisser venir à vous la perception précise ainsi que celle d'éventuels renflements ou hyper-dynamisations.

Voici à présent un point important concernant cette première aura. Fort heureusement, il correspond à une manifestation assez facilement captable dans ses grandes lignes. Il s'agit du mode emprunté par le prâna pour circuler dans le corps éthérique et son double physique. Bien des lectures d'aura mettent en relief la présence d'un réseau fort complexe de « veines blanches » et de « vaisseaux » de même nature sillonnant l'organisme en tous sens et totalement analogue à un réseau d'irrigation sanguine. Ces canaux sont ceux où circule la force prânique. S'il est difficile d'en avoir un aperçu global sur un corps éthérique, du moins est-il relativement aisé, comme nous l'avons dit, de les capter par portions. On note alors que ces canaux sont de trois types selon leur rayonnement et leur largeur. Peut-on parler ici de section ? Il y a en effet l'équivalent au niveau éthérique des artères, des veines et des vaisseaux. La Tradition les appelle *nadis*. Les plus aisément perceptibles se manifestent généralement le long des deux jambes et sur le buste. Il en existe notamment deux sur ce dernier qui partent des épaules pour se croiser au creux de l'épigastre, comme le feraient des bretelles. Cette constatation pourra, bien sûr, être aussi bien faite de dos que de face. Notons enfin que le long de la colonne vertébrale le nadi principal est lui aussi facilement visible de dos. Il s'agit du canal appelé traditionnellement *Sushumna* et dans lequel se glisse, au fur et à mesure de l'évolution, l'extraordinaire force de la *Kundalini*. Nous serons très attentifs à l'aspect dynamique que manifeste ce nadi et à d'éventuelles ruptures dans sa course qui prend naissance très exactement dans la région du périnée pour irriguer enfin le sommet du crâne.

Le corps humain comporte à lui seul plusieurs milliers de nadis. A chaque fois que deux d'entre eux viennent à se croiser, cela donne naissance à un point de dynamisation dans l'organisme. Ainsi les lieux de rencontre des nadis principaux sont-ils ces plexus ou centres de force que l'on appelle chakras et dont l'une des fonctions est de régir les glandes endocrines.

On parle toujours des sept chakras essentiels situés le long de l'axe dorsal et l'on oublie généralement de mentionner qu'il existe un grand nombre de chakras secondaires et tertiaires. Ces chakras, ainsi que le canal de la Kundalini cité auparavant, vous apparaîtront sur l'aura et le corps éthérique comme des zones très lumineuses, non pas essentiellement sur le pourtour de l'enveloppe, mais en surimpression sur le corps observé. Vous noterez, par exemple, pour ne citer que les plus évidents, un chakra secondaire à chaque poignet, sur la face interne des coudes, aux aisselles, aux creux poplités (face interne des genoux) aux talons et d'une manière générale à toutes les jointures importantes.

Un exercice fort utile consistera à prolonger vos lectures au niveau du dos de votre sujet. Vous aurez ainsi plus de chance de capter le rayonnement des sept centres majeurs. Le septième, ou chakra coronal, qui s'élève telle une flamme en un véritable faisceau de lumière au sommet

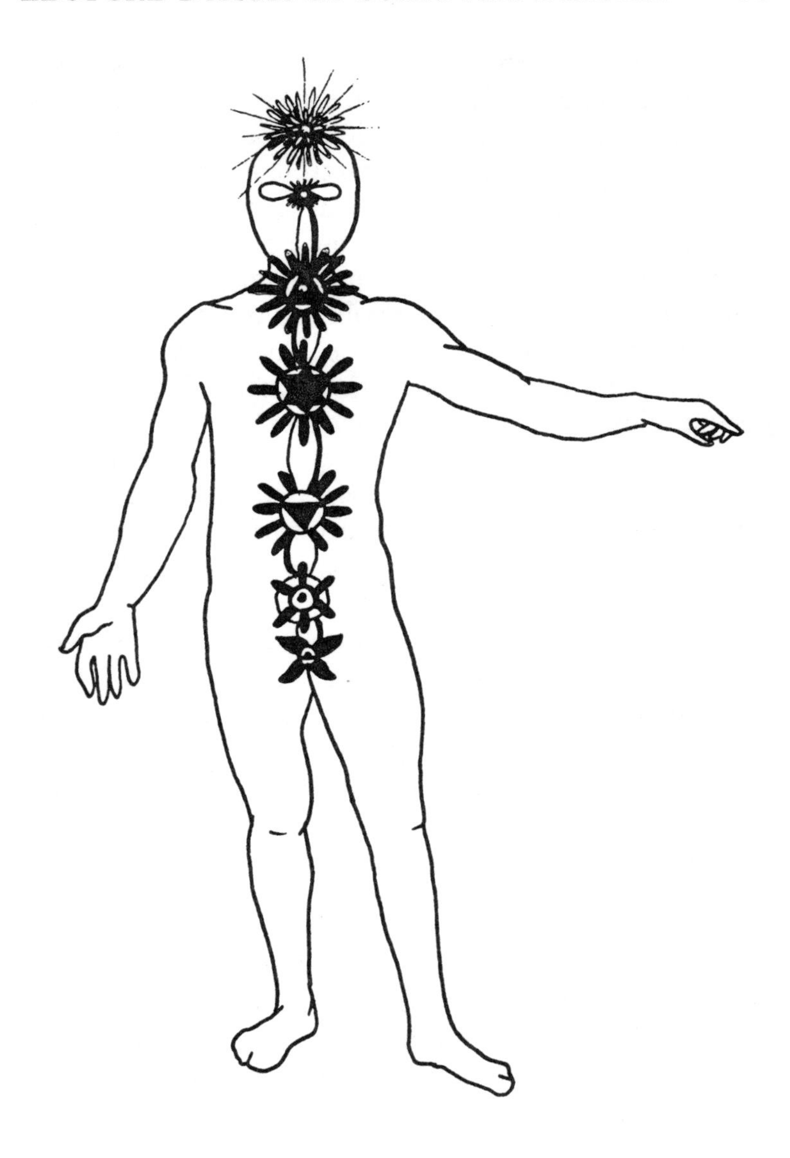

Les sept chakras majeurs

de la tête est aisément discernable. Encore une fois cependant, ne débutez pas une lecture avec l'intention ferme de détecter une des manifestations précises de l'aura, ne serait-ce que les chakras. Ce contrôle de la lecture n'est souhaitable qu'après beaucoup de pratique.

N'oubliez pas une étude de l'aura par le profil. Ainsi, vous vous apercevrez mieux que chaque chakra s'extériorise au moyen d'une lueur plus ou moins vive se projetant bien au-delà de l'éthérique. Vous aurez soin alors de noter les différences d'activité lumineuse existant entre chaque plexus et aussi l'orientation de leurs faisceaux; certains sont horizontaux tandis que d'autres se dirigent rapidement vers le haut ou le bas. Ces faisceaux sont de forme généralement conique et peuvent faire songer à des entonnoirs s'enfonçant dans le corps. C'est d'ailleurs un peu ce qu'ils sont.

Bien qu'il soit relativement simple de capter ces rayonnements, il l'est beaucoup moins d'apprendre à les lire avec précision, d'en observer la composition et le fonctionnement. Nous n'entrerons pas ici dans le détail de l'organisation des chakras car de bons ouvrages existent déjà sur la question[1]. Limitons-nous simplement à décrire leur aspect tel qu'une lecture d'aura peut nous le laisser entrevoir.

La littérature orientale compare souvent le chakra à un lotus tandis qu'en Occident on préfère le terme de rose. On pourrait croire, à première réflexion, que ces dénominations ne sont que symboliques ou poétiques. Il n'en est rien car la vision éthérique d'un plexus fait apparaître

1. Notons particulièrement *Les chakras* de M. Coquet, éditions Dervy-Livres.

le chakra analogue à une fleur dotée de ses pétales. Son calice n'est pas immobile mais tourne sur lui-même à plus ou moins grande vitesse, créant cette impression d'«entonnoir» déjà citée. Au cœur du tourbillon ainsi généré s'engouffre littéralement la force prânique, ce qui provoque la perception d'un «pistil» ou d'une véritable colonne de lumière. Il y a évidemment un rapport entre la qualité et la quantité de cette lumière et l'ouverture plus ou moins large des pétales du chakra. En fait, plus un chakra absorbe de force prânique, plus il éclôt et rayonne. La lecture du corps sur un simple niveau éthérique aura donc aussi pour intérêt de détecter le bon fonctionnement des centres de force, partant du principe que chacun d'eux régit en priorité une glande endocrine et un certain nombre d'organes ou de fonctions vitales.

Ces premières observations sur l'éthérique amèneront à mieux comprendre une chose : il ne suffit pas de prendre conscience du seul rayonnement aurique autour de la silhouette matérielle, il faut prendre en compte sa radiance sur celle-ci, ce qui est logique si l'on admet que l'on observe une enveloppe et non pas simplement un contour. Il s'agira donc d'accorder une grande importance aux taches et manifestations lumineuses diverses apparaissant en «surimpresssion» sur le corps physique. Elles seront des indices très précis pour la détection des troubles d'un organisme.

L'astral

Tournons-nous maintenant vers l'aura astrale, reflet des émotions de l'être, de sa vie affective, de son tempérament, de son humeur passagère aussi. Comme nous l'avons déjà souligné, il s'agit presque d'un champ de bataille. Il ne faudra pas être surpris si, chez la majorité des humains, cette aura est peu stable et susceptible d'infinies variations. Autant la radiance éthérique nous donnait la sensation d'une masse électrique assez fixe, autant sa contrepartie astrale offre le spectacle d'une constante mutation. Bien des croquis et des peintures, qui ont pu en être faits jusqu'à présent, ne rendent pas suffisamment compte de cette réalité. L'aura du corps émotionnel humain n'est pas simplement un souffle venant du tréfonds de la conscience de son « moi », elle est surtout un ensemble de tourbillons faisant songer à des serpentins sillonnant le corps.

Dans les premiers temps de votre apprentissage, cependant, cette caractéristique ne vous apparaîtra probablement pas. Vous serez, en fait, essentiellement sensible à la teinte de base qui caractérise toute aura astrale. Vous aurez presque immanquablement envie de dire : « tel individu est bleu, tel autre vert ou encore rose ou jaune... » Il est bon de laisser venir à soi la perception de ces teintes aussi naturellement que des parfums se glissent jusqu'aux narines. Les premiers temps, il est même possible que vous n'en ayez pas la vision nette mais que la communication instaurée entre l'être qui vous prête son concours et vous, vous suggère simplement des notions de couleur. Vous aurez alors des impressions, peut-être vagues, mais qu'il ne faudra pas négliger. Nous ne le dirons jamais assez, « quelque chose » en vous connaît et il faut aider ce « quelque chose » à refaire surface. Attention pourtant..., il ne s'agit pas non plus de se faire « déborder » par l'imagination et les manifestations de l'émotivité ; un enthousiasme excessif, par exemple.

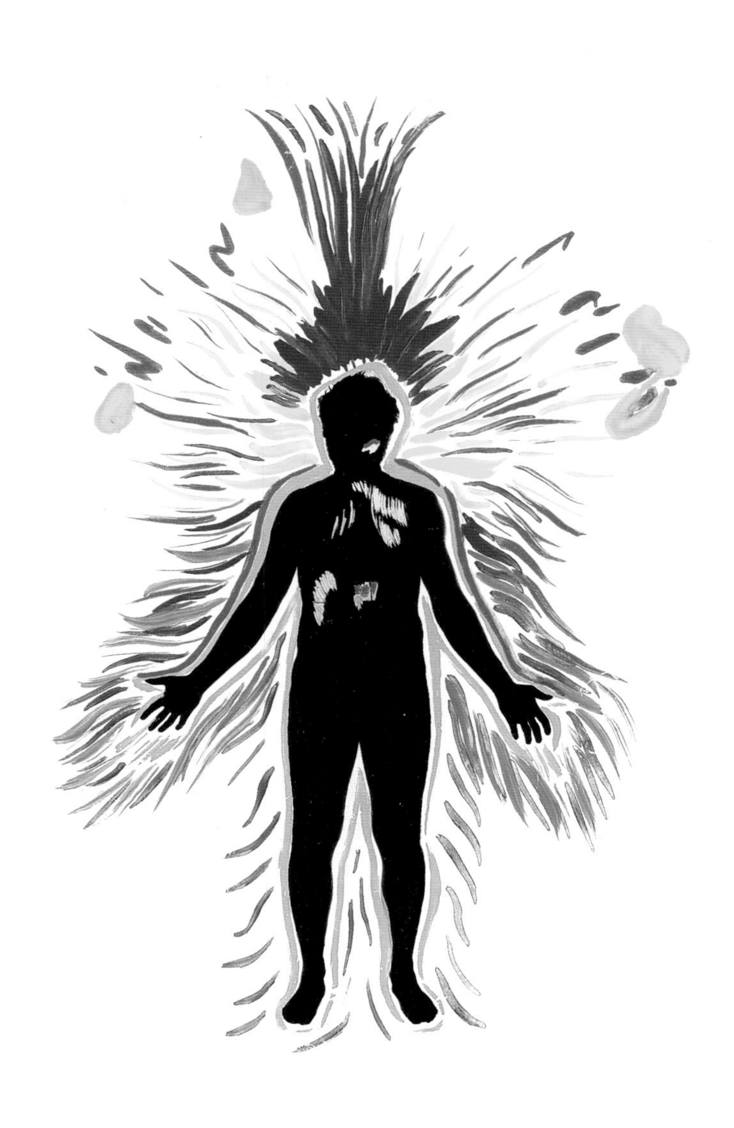

Figure 1

(Voir annexe page 209)

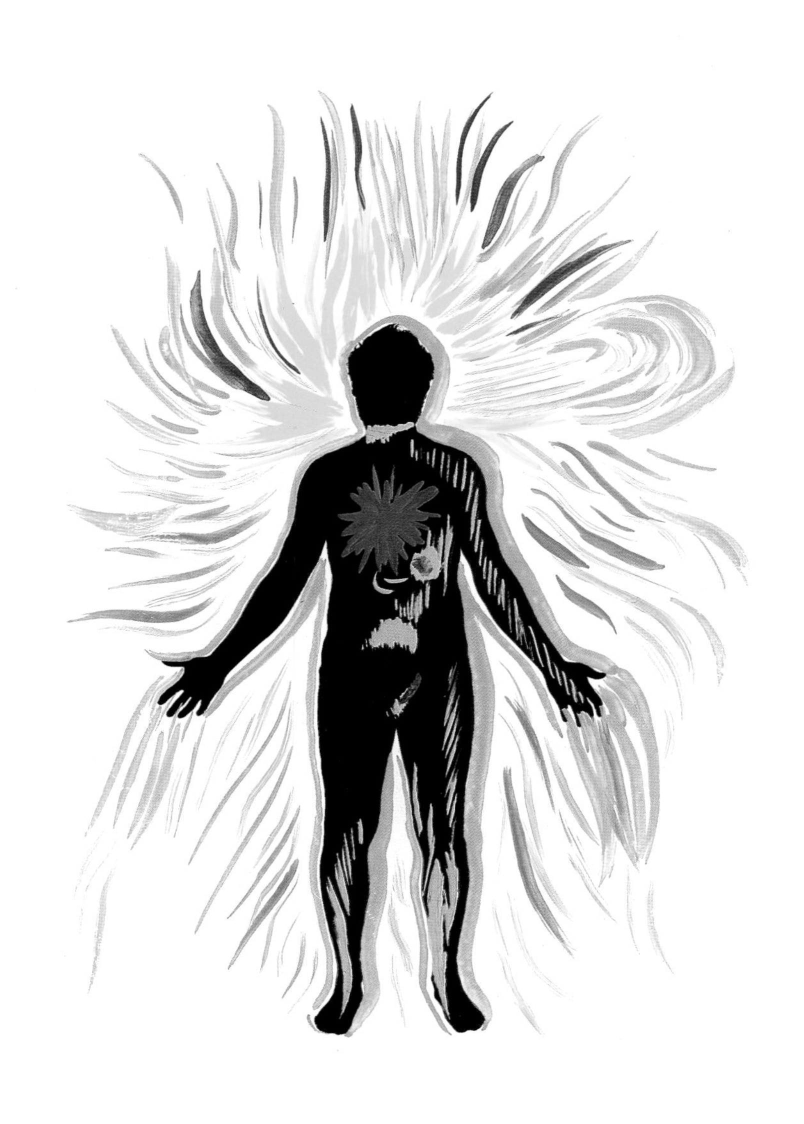

Figure 2

(Voir annexe page 211)

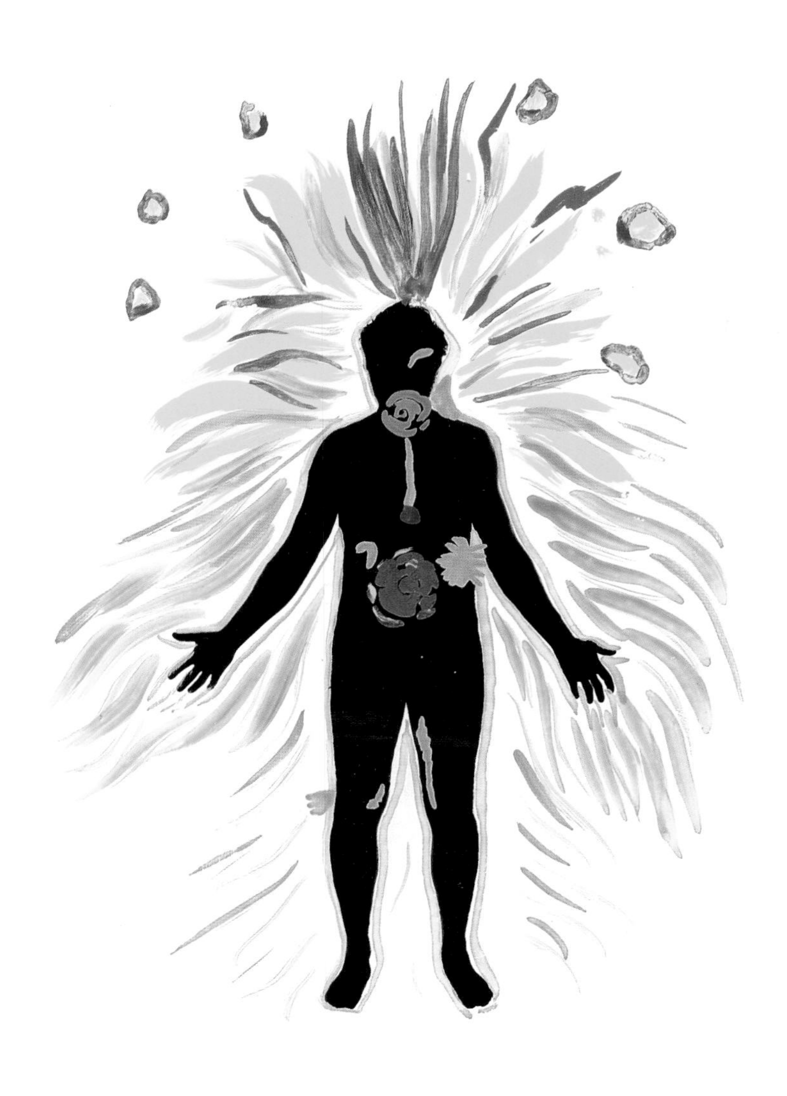

Figure 3

(Voir annexe page 212)

Figure 4

(Voir annexe page 214)

La teinte de base d'une aura astrale ne sera pas susceptible de varier d'un jour à l'autre, contrairement à ses teintes secondaires relatives à l'état du moment. Une modification de cette aura de base ne saurait apparaître qu'au bout de longs mois et souvent de nombreuses années.

Avant même de vouloir entrer dans la perception des teintes et de leurs détails, nous ne saurions trop vous encourager à orienter votre attention vers la qualité de celles-ci. Nous voulons dire qu'il faut d'abord considérer comme essentielle l'ampleur d'une aura, sa force de rayonnement, sa luminosité et sa transparence. En deux mots, attachez-vous surtout à son dynamisme et à sa pureté avant de commencer à comprendre quoi que ce soit de plus précis. Sachez qu'il y a des auras astrales qui sont « sales » et d'autres « limpides ». Sachez aussi que cela ne sera pas obligatoirement dû à la beauté même de la personnalité mais aussi parfois à la santé du corps physique qui l'exprime. Une aura astrale terne n'est donc pas toujours révélatrice de médiocrité... De même, une radiance astrale dynamique ne révèle pas nécessairement une âme lumineuse. La puissance ou la fatigue physique se lisent aussi sur l'aura émotionnelle et il faut en tenir compte. Cela nous prouve bien que l'énergie et la résistance d'un individu ne sont pas uniquement fonction de ses organismes physique et éthérique mais dérivent pour une part non négligeable de sa « force de caractère » ou d'« âme ».

Prenons l'exemple d'un être à l'idéal très pur mais dont toutes les actions sont empreintes d'une timidité excessive. Son aura émotionnelle sera difficilement perceptible, certainement très pâle et rétractée. Une lecture non attentive et maladroite n'en captera ni la beauté ni les qualités...

Ce n'est qu'après avoir exercé votre finesse à percevoir un ensemble que vous pourrez vous attacher à accorder de l'importance aux variations de lumière et de couleurs selon les zones du corps. Vous verrez que les épaules et les bras, le bassin parfois, ont souvent leurs propres teintes et que le rayonnement astral est généralement parcouru d'ondulations semblables à celles des vagues sur la mer ou encore à celles provoquées par la chute d'un caillou sur un plan d'eau. Ce sont les pulsions, les sentiments divers de l'être qui en constituent l'origine.

De même que l'éthérique, le rayonnement astral devra se lire de façon attentive non seulement autour du corps mais sur le corps lui-même. Des zones d'activité plus ou moins importantes s'y dessineront aussi, elles indiqueront des organes affectés, en bien comme en moins bien, par le comportement émotionnel de votre sujet.

Une question jaillit pourtant à ce stade de notre avance : Puisqu'il existe sous forme de « taches » des zones d'activité particulière dans l'éthérique et dans l'astral, comment déterminer lesquelles sont d'origine purement vitale et les autres d'ordre émotionnel ?

Prenons un cas banal : supposons que vous déceliez un rayonnement grisâtre dans la région du foie de votre sujet placé de face. Entamez sans plus tarder une lecture de profil ; si le rayonnement grisâtre ne dépasse guère ou que de très peu l'enveloppe éthérique, vous pourrez localiser aisément la dissonance à ce niveau. Si, par contre, la tache se prolonge notablement à travers l'aura astrale, vos conclusions seront tout autres puisqu'elles mettront en relief un trouble possible dans la vie intérieure de l'être se trouvant face à vous. Un exemple contraire peut bien sûr se produire. Il est probable que vous puissiez remarquer des taches dans l'aura astrale qui ne semblent pas avoir encore de prolongements sur l'aura éthérique. N'en soyez pas étonné mais notez-les précisément car cela est une toute autre histoire dont nous verrons bientôt les causes.

Le mental

Le souffle lumineux d'origine mentale offre quant à lui beaucoup moins de variations d'ordre coloré. Là encore, avant toute chose, il faut apprendre à être sensible à son champ d'extension et à la qualité de sa teinte toujours assez uniforme. C'est essentiellement aussi au pourtour de l'aura mentale qu'il convient d'être attentif. Ce que nous appelons les « idées », en fait toutes les constructions d'ordre mental, intellectuel ou métaphysique, transparaissent à ce niveau. En effet, à chaque fois qu'un être émet une pensée, il se produit à la surface de son aura mentale une sorte de geyser d'où jaillit rapidement une forme plus ou moins définie, forme qui se détache de l'ensemble des corps pour entamer un itinéraire qui lui est propre. Certaines évoquent très nettement des motifs géométriques tandis que d'autres affichent des contours vagues et, pour tout dire, ectoplasmiques... quelquefois même assez cocasses. Il en est hélas aussi d'inquiétantes et qui font bel et bien songer à des êtres de cauchemar. Tout cela constitue les formes-pensées que nous avons déjà évoquées antérieurement. Avec du travail et une absence toujours totale de jugement vous remarquerez que certaines demeurent dans l'ensemble de la coque aurique de l'individu tandis que d'autres la franchissent pour voguer vers le monde, côté lumière ou côté ombre selon leur polarité originelle. La perception de couleurs au niveau de l'aura mentale provient de la visualisation de ces formes-pensées, la tonalité de base du mental allant d'un blanc crème à un jaune excessivement électrique.

Notons au passage un fait curieux et parfois amusant. Il peut arriver que vous déceliez la présence très brève et pourtant nette d'un visage dans la zone du rayonnement mental d'un être. Si l'on met à part les phénomènes faisant l'objet des études spirites, il s'agit également de formes-pensées. Lorsque l'esprit humain émet une pensée claire, nette, précise et soutenue, l'image de son support se constitue automatiquement dans l'aura avec une relative densité.

Nous nous souvenons particulièrement d'une lecture des corps effectuée avec le concours d'un ami. Brusquement, apparut dans son rayonnement mental le contour d'un visage à la chevelure et à la barbe abondantes, les yeux apparemment à demi-clos et souffrants. Connaissant l'intérêt de notre ami pour les questions d'ordre spirituel, nous émîmes imprudemment l'hypothèse qu'il songeait fortement au Christ... Il n'en était rien! A notre surprise, il nous affirma avoir simplement pensé avec insistance à une triste scène dont il venait d'être le témoin : celui d'un vagabond, chevelu et barbu, recevant les coups d'un de ses compagnons de route...

Puisse donc cette anecdote vous inciter à ne jamais conclure hâtivement après une lecture aurique, quelle qu'ait été l'apparente précision de ce que vous y avez décelé.

Le causal

Peu de choses autres que celles déjà citées sont susceptibles de faire l'objet de premières observations. Seul le mystique y discernera des détails précis susceptibles de servir autrui. C'est pourtant cette aura qui est à l'origine d'un phénomène suffisamment fréquent et marquant pour mériter d'être signalé. Il peut arriver que sur le visage de l'être que nous observons vienne s'imprimer rapidement toute une succession d'autres visages très différents du sien et semblant appartenir à une autre époque, un autre pays, un autre milieu social et même à un autre sexe. Ainsi, il n'est pas rare, si votre sujet s'avère être par exemple une charmante et jeune personne, que la physionomie d'un vieillard ou d'une vieille femme vienne se superposer spontanément à la sienne... N'en concluez pas qu'il s'agit d'une vision du futur! Ce type d'image, qui est aussi un renseignement parfois utile et jamais anodin, provient du véritable livre que constitue à elle seule l'aura causale. Le corps causal conserve la marque des existences antérieures. Un seul de ses « atomes » suffit à contenir la mémoire d'une vie dans ses moindres détails. La perception des visages successifs que nous venons d'évoquer est un peu analogue à la lecture que nous faisons des différentes têtes de chapitre d'un livre lorsque nous parcourons la table des matières de celui-ci. Ce type d'expérience peut évidemment être impressionnant mais, s'il est compréhensible qu'il fasse l'objet d'une réflexion, il ne doit pas revêtir une importance exceptionnelle. Les renseignements, souvent peu parlants, qu'il fournit doivent simplement, à notre sens, rester « en réserve ».

On ne saurait en aucun cas, de toute façon, provoquer d'emblée de telles perceptions. S'en faire un but par curiosité, même à des fins louables, ne correspond d'ailleurs en rien à l'idéal de travail qu'il est nécessaire de cultiver. Dans la quête d'un certain type d'amour, la recherche de sensations mène immanquablement à une impasse. Sachons simplement que ce qui nous est donné fortuitement n'est jamais l'effet d'un hasard et qu'il faut savoir le respecter et rester prudent dans sa tentative d'interprétation.

Avant de conclure ce chapitre nous aimerions insister sur un point particulier, ou plutôt le rappeler : il ne faut pas oublier que les différentes auras ne sont pas posées les unes sur les autres à partir du physique. Elles s'interpénètrent toutes, de même que les corps qui les génèrent. Elles s'influencent donc les unes les autres. Ainsi, si vous percevez tel rayonnement dans une couche aurique, vous constaterez souvent qu'il parvient à déborder, à s'immiscer dans les rayonnements voisins. On voit alors aisément comment un aspect de l'être parvient à en modifier un autre et comment, par exemple, d'une particularité ou d'une dissonance mentale ou astrale on peut obtenir une manifestation physique dans l'organisme.

CHAPITRE VIII

Interprétation des couleurs

Nous touchons ici au point le plus délicat du travail, celui aussi qui est le plus sujet à controverse puisque peu d'êtres, à la fois mystiques et chercheurs impartiaux, semblent avoir pu se livrer à des études systématiques et nombreuses. Excepté les centaines de lectures que nous avons pu nous-mêmes effectuer et les recoupements qui les ont nécessairement suivies, nos sources proviennent de multiples expériences de projection hors du corps analogues à celles décrites dans l'entrée en matière de ce livre.

Avant d'aborder précisément la question et donc les possibilités de diagnostic, nous pensons qu'il est important d'insister sur la nécessité d'effectuer plusieurs lectures de l'aura à des semaines et même à des mois d'intervalle chez la même personne, surtout bien sûr si l'on soupçonne un trouble grave. Nous l'avons dit, une aura est très mobile et il s'avère toujours bon, lorsque cela est possible, d'en déceler plusieurs aspects à des heures et des jours différents.

La lecture de l'aura est une discipline qui, pratiquée avec beaucoup de soin et d'intégrité, peut s'avérer d'une très grande précision et par conséquent d'une non moins grande utilité. Il serait alors dommage d'en négliger les aspects et de se satisfaire de vagues impressions recueillies tel jour à telle heure. Même si les difficultés que nous avons évoquées par le menu jusqu'ici peuvent paraître nombreuses, il nous semble que l'importance de la tâche vaut bien que l'on y recherche le plus de perfection possible. En fait, malgré quelques apparences, il s'agit moins d'un travail de «galérien» ou de «fourmi» à accomplir avec le concours d'autrui et sur soi-même que de l'apprentissage d'un amour à développer envers la Création et à rechercher avec beaucoup de joie au cœur.

Essayons de passer maintenant à la compréhension des nuances colorées de l'enveloppe aurique, à la peinture intime de l'être qu'elles dressent, puis aux symptômes qu'elles révèlent aussi.

Les couleurs

Elles sont essentiellement le propre de l'aura astrale. Hormis la teinte de base affectant chaque rayonnement émotionnel et qui suggère le tempérament initial d'un individu, elles sont en constante évolution et circulent sur toute la surface de cette enveloppe. Elles créent parfois des tourbillons, des volutes, des nuages stationnant ou sur un organe ou dans le pourtour de la tête, indiquant ainsi des états d'âme ou des états de santé plus ou moins passagers. Ce que nous indiquons des couleurs qui suivent n'est aucunement exhaustif. En fait, le champ d'investigation proposé par chacune s'annonce considérable à cause de l'infinité des nuances dont elle peut se revêtir. Voilà la raison pour laquelle il faudra toujours éviter de dire : «telle teinte signifie telle chose». Vouloir simplifier à l'extrême entraînera parfois des contresens. Signalons aussi qu'il n'y a pas de couleurs « négatives » en elles-mêmes. Chacune révèle des qualités et les défauts de ces qualités. Tout dépend donc de la nuance d'une teinte et de l'état de limpidité de celle-ci.

Le rouge

De toutes les couleurs, le rouge est sans doute celle qui, le plus, peut se prêter à des interprétations erronées.

D'une manière générale, un *rouge vif* est signe de dynamisme. On le trouve souvent réparti en zones vaporeuses ou en bandes larges autour de la tête. Il ne faut pas confondre ce dynamisme de tempérament avec celui lié à la force physique, lequel se manifeste par la même couleur mais placée le long des membres et de la taille en faisceaux réguliers qui semblent s'en échapper. Ce rouge vif acquiert une autre signification s'il se trouve prédominant dans l'ensemble de l'aura astrale sous forme de nuages englobant tout le corps. Il est alors le signe d'une personnalité exubérante au point de pouvoir s'épuiser sans parvenir à canaliser son énergie, une personnalité qui, aussi, peut indisposer son entourage par ses « sautes d'humeur » surtout si la teinte présente des faisceaux inégaux dans la région crânienne. Il se forme parfois vers l'extérieur de l'enveloppe émotionnelle une myriade d'étincelles d'un *rouge très vermillon*. Celui-ci est signe d'anxiété. Si le même phénomène se produit mais en mettant en évidence un *rouge beaucoup plus faible, plus rosé*, vous avez là un indice de la nervosité de votre sujet.

Un *rouge carmin* toujours vif mais plus foncé que notre premier rouge révèle des capacités de commandement — latentes s'il est sous forme de brumes dans la partie supérieure du corps — déjà en action s'il a pris la forme de véritables rayons lumineux. Une surabondance de ce rouge dans l'aura astrale dénote, on peut s'en douter, une autorité abusive, même despotique lorsque de légères traces gris anthracite viennent s'y mêler.

Un *rouge très foncé*, situé essentiellement sur le front et sur chaque côté de la nuque met en évidence dans tous les cas la colère... jusqu'à des pulsions de violence lorsque le même gris que précédemment s'y ajoute. Il est remarquable de noter comment le rayonnement éthérique lui-même en est affecté, amenuisé parfois, dans une zone bien déterminée du corps. Ainsi, un débordement de colère peut-il créer une brèche réelle dans l'éthérique et par là-même une fuite énergétique capable d'enclencher un trouble physique.

La présence de *rouge brique* ou de *rouille* dans la radiance astrale ne se manifeste que chez un être avare ou égoïste. Parfois, lorsque ce trait de caractère est profondément enraciné, une semblable lueur apparaît jusque dans la zone mentale.

Nous accorderons une attention toute particulière au *rouge profondément brunâtre*. Celui-ci, présent sur un organe ou une partie du corps, révèle la formation d'un cancer. Comme l'on sait qu'une maladie apparaît sur un des plans subtils de l'être avant de se concrétiser sur son organisme physique, il est capital de localiser avec précision le niveau de manifestation de la tache. C'est ici très exactement que l'action préventive de la lecture d'aura peut être décisive. La pratique permet de s'apercevoir qu'il y a des cancers qui prennent naissance sur un plan mental, par exemple. L'aura de ce corps présente alors un rayonnement rouge brunâtre dans une région déterminée. En supposant que ce soit celle du foie, ou plutôt de sa contrepartie en énergie puisqu'il n'y a pas de foie mental[1], le rayonnement descend au fil des mois ou des années jusqu'à l'aura vitale puis dans le corps physique. Le processus peut s'interrompre si un changement dans l'attitude intérieure vient stopper sa course. Ce schéma est analogue pour la plupart des maladies.

En ce qui concerne le cancer, il faut savoir que rares sont ceux qui placent leurs racines dans l'aura causale. Cela nous oblige à conclure qu'il y en a peu, en fait, qui soient d'origine karmique et que la majorité d'entre eux se développe suite à une rupture d'harmonie mentale, émotionnelle ou simplement éthérique dans la vie présente de l'être.

Il est inutile de dire qu'il faut toujours être excessivement vigilant en ce qui concerne la justesse de visualisation et de détection des taches rouge-brun. Cela se justifie d'autant plus qu'une zone lumineuse *rouge carmin* située avec précision sur un organe signale uniquement une infection et qu'un *rouge rosé* est un indice d'ulcération.

Accompagné de *bandes vertes*, un *rouge vif* met en évidence un désir de contacts constructifs avec les autres et la volonté d'aller droit au but, sans détour. Le *rouge fade*, proche du rose, quant à lui, s'il se trouve mêlé à des « flocons » *jaune clair*, signale un besoin d'attirer à soi et de plaire. Parcourue de *zébrures vermillon*, cette teinte manifeste l'orgueil.

Bien que l'ensemble des remarques relatives à la coloration rouge laisse une impression générale plutôt néga-

1. Voir page 38.

tive, il ne faut pas conclure qu'elle soit à réformer dans une aura. Bien dirigé, épuré, le dynamisme véhiculé par cette vibration est indispensable chez un être équilibré.

Le bleu

Voilà une couleur qui, d'emblée, évoque plus de paix que la précédente.

Le *bleu ciel*, s'il est vif, témoigne toujours d'une grande honnêteté et d'un tempérament agréable. Cela est particulièrement manifeste lorsqu'il constitue la teinte de base d'une aura astrale ou du moins lorsqu'il en occupe la partie supérieure. Un être qui le rayonne en abondance est généralement sensible aux questions de nature métaphysique. Plus il est électrique, plus ses qualités transparaissent dans la vie quotidienne. Si ce bleu devient *très pâle*, c'est une marque d'intériorisation sans doute excessive, voire même de timidité. Que celui-ci devienne *plus fade* encore et laisse une impression de « métallisé » et il indique alors une grande influençabilité. Un tel bleu, simplement présent en zones restreintes dans l'ensemble de l'aura, met en évidence un esprit d'indécision. Un beau *bleu lavande*, cependant, indique toujours un penchant de l'être pour la méditation, la prière, allant, s'il est accompagné de *rose vif*, jusqu'à une piété excessive. Parsemé de taches *jaune terne*, il signale enfin la pruderie. Les êtres volontaires exhalent quant à eux une bonne quantité de *bleu foncé* dans leur enveloppe astrale. Ce sont des travailleurs ayant le désir de progresser. On trouve rarement cette teinte présente dans la totalité du rayonnement, elle apparaît plutôt dans la partie supérieure du corps, notamment dans la proximité du septième chakra. Un tel bleu, s'il est réellement foncé et mêlé de *rouge car-*

min, révèle l'opiniâtreté jusqu'à l'entêtement. Plus ce rouge sera électrique et mêlé étroitement au bleu foncé, plus l'être qui l'émet s'embarrassera peu de scrupules.

La présence de *gris* par zones dans la région de la tête et des épaules laisse transparaître, avec toutes les qualités de bleu, le découragement et un état d'esprit pessimiste.

Lorsqu'un être a tendance à la méfiance, ce gris se transforme en un fade *ocre-jaune*.

Le jaune

Commençons par la plus belle des manifestations de cette teinte : le *jaune safran*. Sa présence, lorsqu'elle est très développée, ne se limite généralement pas à l'enveloppe astrale mais inonde la majorité des corps. Elle révèle toujours une très haute spiritualité. Il ne s'agit pas ici d'une spiritualité que nous qualifierons d'éthérée mais au contraire d'un idéal lumineux qui trouve son équilibre et sa concrétisation au milieu des tumultes de ce monde. Le safran est la marque de ceux qui, ayant intégré authentiquement leurs connaissances spirituelles, les rayonnent sous forme de sagesse.

Le *jaune citron* véhicule une signification très différente. Il révèle toujours la prédominance de la raison lorsqu'il occupe notablement l'aura émotionnelle et une très forte activité intellectuelle s'il imprègne avec puissance la radiance mentale. Plus ce jaune est acidulé, plus il révèle l'importance de l'activité cérébrale au point, s'il est entaché de *rouge terne*, de donner naissance à des idées fixes. Un *jaune fade* dans la zone astrale indiquera une volonté chancelante, engendrant jusqu'au laxisme. Il dénote aussi une certaine forme d'indécision par manque de confiance en soi. Lorsque des flammes *rouille* viennent s'y mêler c'est le signe d'un esprit excessivement opportuniste allant parfois jusqu'à la lâcheté.

Pollué par des masses *marron clair* et *vert kaki*, ce *jaune terne* révèle un état d'être tout à fait axé vers le matérialisme. La présence croissante du *vert kaki* dans l'aura astrale reflète quant à elle la bassesse des préoccupations et aussi un certain égocentrisme. Que ce jaune vienne maintenant à être parcouru de nervures *gris anthracite* et *rouille* et l'âme qui l'émet sera, hélas, peu digne de confiance; elle fera preuve d'une extrême versatilité et son apparente diplomatie pourra cacher une tendance au mensonge.

Pour conclure, vous remarquerez aisément que toute aura exhale d'une manière générale dans la région de la tête un nuage lumineux d'un *jaune moyen*. Il est la simple manifestation de l'activité cérébrale. Une expérience tout à fait curieuse consiste à pouvoir contempler l'aura d'un être absorbé par la préparation d'un examen. On constate alors que ce même nuage jaune a pris des proportions extraordinaires et qu'il est rendu extrêmement vivant par l'éclatement en tous sens de petites étincelles blanches ou jaune vif. Il s'agit d'une suractivité de l'aura mentale qui, ainsi « gonflée », peut rendre difficile la lecture des autres enveloppes. C'est à sa surface que les formes de la pensée se concrétisent.

Le vert

Le *vert franc et vif* est une teinte que l'on remarque de plus en plus fréquemment chez les êtres qui, ayant entrepris dans cette vie un cheminement intérieur très net, se sont ouverts à autrui. D'un point de vue global, un beau *vert pomme* est signe de don à autrui. Ce don prend évidemment les formes les plus diverses, ce peut être dans la pratique de la médecine ou des professions paramédicales ou encore dans l'enseignement. Ce même vert indique aussi un besoin et une recherche d'authenticité, une quête sincère de la beauté si de grandes zones *bleu ciel* viennent s'y mêler.

Il faudra apprendre à être très attentif à la présence d'un *vert électrique* le long des bras ainsi qu'à l'extrémité des doigts. Ce détail marque en effet une prédisposition naturelle pour le magnétisme et les soins par imposition des mains. Les mains éthériques ou astrales vertes sont en fait des mains purificatrices et réénergisantes. On voit bien ici comment l'expression « avoir les pouces verts » a pu voir le jour dans les milieux du jardinage. Clairsemé d'un *bleu très vif*, le même vert révèlera des qualités de courage, allant jusqu'au sacrifice si le bleu prend des accents nettement électriques.

Lorsque le vert acquiert des rayonnements proches de ceux de l'*émeraude*, l'être a de grandes capacités de thérapeute, dans le domaine du corps matériel comme dans celui de l'âme. Il s'agit en réalité d'un véritable médecin au sens noble du terme, ce qui signifie qu'il est en même temps un peu prêtre puisqu'il agit avec la notion du sacré imprimée en lui. Cette médecine étant aussi celle des âmes, elle peut à l'extrême ne se manifester que par le Verbe en tant que baume réparateur.

Dans un tout autre registre d'idées se situe le *vert pâle* mêlé de *jaune fade* et de *rouille* puisqu'il indique des tendances à l'hypocrisie.

Parcouru par des bandes lumineuses d'un *rouge moyen*, le *vert tendre* reflète l'équilibre de la personnalité, son sens des responsabilités et son goût pour l'action. Un semblable mariage de teintes constituant l'aura de base se rencontre chez les êtres dont la vie est essentiellement dévouée à une cause.

Un *vert tilleul* seul, signale quant à lui un manque de dynamisme et une légère tendance à la morosité.

Le violet

Au sein de l'humanité qui est nôtre, le violet ne se rencontre que rarement et uniquement chez les êtres dont le développement spirituel est tout à fait authentique. Lorsque, de façon vive, il occupe la plus grande partie de l'aura, constituant ainsi sa base, il marque avec éclat un mysticisme dont la force dépasse les contingences quotidiennes. Sa signification se rapproche beaucoup de celle du *safran*, cependant elle indique plus un net penchant pour la méditation et la prière et un retrait par rapport aux affaires du monde. Dans la très grande majorité des cas, ce *violet vif* ne rayonne que par zones ou par faisceaux bien délimités. Il n'atteste donc dans ce cas que l'aspect plus ou moins secret d'une personnalité qui ne se résume évidemment pas qu'au mysticisme. Très soutenu et parsemé de *jaune*, le violet suggère une forme «d'intellectualisme de l'esprit»; lorsque ces deux teintes sont particulièrement électriques elles dénotent un profond intérêt pour l'occultisme.

Le *violet pâle* et le *mauve* révèlent simplement un intérêt pour les problèmes religieux ou, plus généralement, métaphysiques. Mêlé de *bleu*, le *violet-mauve* signale une véritable recherche de pureté. Il est également l'indice d'un caractère affable. Si la transparence de ce mauve est affectée par des *nuances grisâtres*, la quête de l'idéal sera handicapée par une trop grande influençabilité. Plus la présence grisâtre prendra de l'extension, plus l'être sera susceptible de connaître de profondes déceptions par excès de candeur ou de naïveté.

Un *violet moyen, grisâtre,* parcouru de *nuances roses* apparaît dans l'aura astrale des hommes qui affichent une fausse dévotion, chez ceux aussi dont les capacités d'abstraction se limitent à ce qui, d'une façon ou d'une autre, peut leur procurer un certain profit.

L'orange

Cette teinte révèle toujours une forte activité. On la trouve soit dans l'ensemble de l'aura — elle prouve alors la pratique constante de la générosité — soit simplement près de la surface d'un membre si celui-ci vient d'accomplir, dynamiquement et sans efforts épuisants, une action physique.

D'une façon plus générale, l'orange est la couleur de la bonne volonté active et de la loyauté. C'est le signe d'une « spiritualité concrète » dans la vie quotidienne. Pour peu qu'un *jaune pâle* légèrement « sale » vienne s'y adjoindre et la force de générosité sera quelque peu calculée, pas tout à fait désintéressée.

Si ce jaune prend de fortes nuances *ocre et rouille* et se développe par endroits au milieu de l'orangé, sans doute une certaine paresse sera-t-elle à redouter. Enfin, un *vert bouteille* très foncé est, quant à lui, dans ce contexte orange, l'émanation d'un état d'âme rancunier et sans délicatesse.

Le rose

Sa présence dans la radiance émotionnelle est toujours

la marque d'un manque de maturité et aussi d'un besoin quasi-vital de « jeu ». C'est, par conséquent, et cela s'explique aisément, une teinte que l'on trouve en abondance dans l'œuf aurique des enfants et aussi des adolescents.

Au cours d'un repas très gai ou simplement d'une conversation amusée, entrecoupée de plaisanteries, les enveloppes astrales émettent généralement avec force cette teinte sous forme d'ondes très marquées. Que les plaisanteries deviennent des quolibets et de ces ondes naîtront des éclairs d'un *rose très rougeâtre.*

Si le rose vient à se mêler très étroitement à un *jaune acidulé,* il faudra certainement craindre des manifestations d'égocentrisme excessif.

Si, par contre, c'est un *gris électrique* aux reflets d'un *bleu très froid* qui vient strier le rose de sa présence, vous êtes en face d'un être qui éprouve une peur intense. Lorsque, enfin, de tels reflets inondent l'ensemble du rayonnement astral et que viennent s'y mêler des flammèches *rouge fade,* cela signale une sorte de crainte maladive ou du moins une profonde anxiété débouchant souvent sur une irritabilité et des troubles du sommeil.

De même que pour le rouge, il ne faut pas déduire de tout cela que le rose soit une couleur à fuir. Si en effet sa vibration est un indice schématique d'immaturité, la gaieté suscite aussi son apparition épisodique; or cette gaieté n'est-elle pas un élément indispensable à la vie, un état d'être à cultiver?

Le gris

Dans l'ensemble de l'enveloppe aurique cette teinte vient généralement en additif par rapport aux autres. Sa présence sous forme de voile dans une couleur tend simplement à la rendre moins limpide et en diminue donc les caractéristiques. D'un point de vue global, le gris est l'empreinte laissée par la fatigue, la maladie ou la déception, sur un organisme. Il va de soi qu'il peut ne toucher qu'une partie déterminée des forces auriques et ne stationner qu'à proximité d'un organe.

Une grande tristesse laissera cependant un courant grisâtre se répandre dans les trois premières auras. Il faudra savoir discerner l'apparition de bandes *gris foncé* au cœur de cette lumière, déjà terne par elle-même, car elles sont le signe d'un début de dépression nerveuse si la teinte a tendance à persister assez longtemps dans l'œuf aurique. La présence de gris est généralement totalement passagère lorsqu'il s'agit d'une simple fatigue ou d'une déception.

Le noir

Il n'est pas une couleur à proprement parler. Sa présence, fort heureusement, ne se discerne qu'épisodiquement dans une aura, du moins chez la grande majorité des humains. Elle indique évidemment un principe de « non-lumière » telle qu'une colère très violente ou une manifestation de haine. De rares personnes véhiculent des masses noires en permanence dans leur être subtil; ces êtres portent alors en eux une énergie destructrice qui prend souvent la voie d'une auto-destruction sous forme psychique ou par certains types de maladies.

Le blanc

Cette radiance également extérieure à la gamme des couleurs est celle qui en résume tous les aspects lumineux. La manifestation d'un très beau blanc aux nuances cristallines est donc toujours un signe de grande pureté. Nous ne parlons pas ici du blanc «lourd» et laiteux, plutôt révélateur d'un esprit mal assuré et qui se cherche, mais du blanc qui évoque la Lumière dans son essence première. L'élévation constante des pensées et l'expansion de l'amour en rayonnement et en actes sont assurément les seules forces capables de l'infuser dans l'être subtil. Un tel blanc rehaussé de *reflets dorés* mérite l'appellation de «lumière christique». Cette dénomination n'a de sens, selon nous, que si l'on prend le terme christique dans son sens universel, c'est-à-dire si l'on accepte de voir son principe suprême dans toutes les manifestations qu'emprunte la quête du Divin.

En résumé à cette analyse, nous croyons bon d'insister sur le fait qu'il n'existe pas de couleur qui en elle-même soit négative. A l'état pur, une couleur est un rayon par lequel peuvent se développer mille qualités, mille façons de servir la Vie. Ici comme ailleurs, l'harmonie est une question de juste répartition des forces et des sensibilités. Apprenons donc à lire les corps de façon très nuancée en n'oubliant pas que l'effet suggéré par la présence d'une teinte est susceptible d'être modifié, tempéré ou accru, par la présence de sa voisine. Bien comprise, la palette des couleurs est la photographie exacte de l'individu physique et psychique.

L'obligation dans laquelle nous avons été d'analyser soigneusement chacune des principales teintes de l'aura humaine nous a valu d'émettre des éléments de compréhension par rapport à des traits de caractère quelquefois peu agréables. Que l'on ne se méprenne pas ici sur le sens que nous avons voulu donner à ces interprétations. Il ne doit s'agir en aucun cas, nous le répétons, d'informations à partir desquelles le lecteur peut se permettre de juger celui qui se trouve face à lui. Celui qui lit ne saurait s'impliquer dans sa lecture; ni son mental, ni son propre ego ne doivent intervenir. Sa position ne peut donc pas être celle de celui qui « sait » et qui « tranche ». Sa véritable nature doit être de celles qui aiment, c'est-à-dire qui comprennent et essaient d'aider. En réalité le lecteur d'aura ne peut se permettre d'oublier ceci : il reçoit autant que ce qu'il donne...

Les signes

Dès que l'on a commencé à pratiquer avec sérieux la lecture des corps subtils, on s'aperçoit vite qu'il ne s'agit pas uniquement de déterminer la présence de zones colorées juxtaposées ou se superposant les unes aux autres. Ainsi, très vite, un certain nombre de manifestations apparaissent dans le champ de vision soit dans les enveloppes auriques, soit en surimpression sur le corps physique lui-même. Il est vraisemblable qu'elles vous apparaîtront tout d'abord de façon épisodique et comme dans un brusque éclair de lucidité. Cela fait partie du processus normal de visualisation, le tout étant d'y accorder autant d'importance qu'aux couleurs elles-mêmes.

Ces signes remarquables sont en effet révélateurs de capacités, de handicaps ou de troubles..

Les protubérances

Nous avons déjà vu que l'aura éthérique, témoin de la vitalité d'un organisme, ne présente pas partout les mêmes qualités selon les zones du corps observées. Un muscle dynamisé par un récent travail physique offrira ainsi un rayonnement vital intense qui ira jusqu'à créer une impression de *boursouflure.* Il ne faudra donc pas s'étonner à la vue d'un semblable symptôme qui reste du domaine de l'anodin. Nous conseillerons simplement de s'assurer de la coloration du rayonnement ponctuel lui-même. S'il s'avère légèrement rougeâtre, le muscle est allé au-delà de sa résistance; ce peut être un signe d'entorse ou de foulure.

Il est une zone du corps où des *excroissances* grisâtres sont fréquentes. Il s'agit de la région éthérique avoisinant les cervicales et les épaules. Souvent on y distingue d'importants renflements gris, des sortes de masses informes donnant l'impression de stagner. Ce sont ce que nous appellerons des « scories éthériques », c'est-à-dire des résidus de l'énergie vitale dont le corps n'est pas parvenu à se défaire naturellement. Une absence ou une insuffisance de travail physique, un raidissement intérieur de l'être, la nervosité, l'anxiété sont les divers facteurs qui génèrent ce phénomène. La présence de telles scories encrasse littéralement par endroits le corps éthérique et gêne la libre circulation du prâna. Des impressions de crispation, des courbatures, des maux de tête, même (lorsque les cervicales sont concernées) peuvent en être la résultante. Généralement, de simples massages corporels dans la zone en question suffisent à résoudre le problème Encore faudra-t-il s'assurer que le trouble ne se reproduit pas régulièrement. De semblables accumulations de résidus peuvent évidemment se manifester à n'importe quel endroit de l'organisme.

Dans la très grande majorité des cas, le phénomène n'est observable qu'au niveau des principaux points d'articulation du corps, par exemple aux coudes, aux poignets, à l'arrière des genoux, aux chevilles et même à la taille. Les plis de l'aine (ici surtout observables de profil) seront à surveiller expressément.

Signalons au passage une excroissance d'un ordre tout à fait particulier que l'on rencontre parfois de façon très prononcée au niveau d'une oreille, souvent la gauche. Ce renflement prend l'apparence assez régulière d'une énorme « bulle » analogue à celle des bandes dessinées, d'une coloration argentée ou bleue. Ce n'est ni un signe de trouble ni d'hyper-dynamisation mais l'indice que nous sommes en présence d'un être ayant des capacités plus ou moins latentes de clairaudience.

Les creux

La visualisation de creux ou de « trous » dans la radiance éthérique d'un corps devra également faire l'objet de votre attention. Ils sont l'indice que la circulation prânique qui s'opère par l'intermédiaire des nadis est affaiblie à cet endroit et que la zone en question peut, à la longue, s'en trouver considérablement affectée. Lorsqu'un semblable signe se manifeste, accompagné de nuages rougeâtres et gris anthracite, cela indique une fêlure ou une fracture. Sachez cependant qu'un simple creux accompagné d'une petite zone grisâtre peut signaler, sans plus, la présence d'une ancienne fracture ou d'une intervention chirurgicale ; mais cela ne signifie pas que tous les « incidents de parcours » de ce type gardent nécessairement leur empreinte très visible sur l'éthérique.

Tout comme dans le cas des « boursouflures », des massages répétés sont souhaitables (excepté évidemment en cas de fracture et de fêlure !).

Le prâna se trouvant en abondance dans le sang, on

comprend pourquoi le fait d'activer la circulation de ce dernier par un massage peut s'avérer d'une aide précieuse.

La plupart des disharmonies qui naissent sur le corps vital proviennent d'une mauvaise répartition de l'énergie de Vie que représente le prâna. Il nous semble important de ne pas perdre cela de vue.

Les fuites

Parallèlement aux «trous» sur l'aura éthérique, vous apprendrez à percevoir des fuites d'énergie vitale à la surface même de cette enveloppe. Elles se manifestent réellement comme des fontaines d'où s'échappe un flot rappelant celui d'un geyser. Il s'agit bien d'une déperdition de force lorsque le flux est grisâtre ou d'un blanc sale. Si la couleur est autre et agréable à la vue, si le rayonnement est puissant, il est certain que vous vous trouvez en présence d'un chakra de plus ou moins grande importance. Il est généralement assez aisé de remarquer un tel jaillissement au niveau des poignets ou au creux des mains.

Dans tous les cas, une perte énergétique décelable au niveau d'un organe indique un trouble dont il faut se préoccuper. Signalons, pour conclure, que de telles fuites qui proviennent de brèches ou de fissures de l'enveloppe subtile sont plus aisément décelables sur un corps placé de profil.

Les taches

Nous les avons déjà abordées. Elles sont toujours indicatrices d'une disharmonie, qu'elles soient situées dans l'un des rayonnements de l'aura ou en surimpression sur la silhouette physique. Par tache, nous entendons une zone brumeuse plus ou moins «électrique», de coloration toujours sombre ou terne, dans la très grande majorité des cas grise, et heureusement plus rarement brunâtre.

Il va de soi que l'intensité de la coloration grise est fonction de la gravité du trouble. Vous remarquerez qu'il est des nuages grisâtres diffus, d'étendue assez importante et qu'il existe aussi des zones sombres très délimitées, signalant un point précis. L'importance de l'étendue de la zone n'est pas nécessairement un gage de l'importance de la disharmonie. Il faut surtout prendre en compte l'intensité de sa coloration et sa durée dans le temps. Ainsi, un simple malaise digestif suffira à créer une masse diffuse d'un gris souris sur toute la région de l'estomac, sans que pour autant la situation soit préoccupante. Nous attachons, quant à nous, plus d'intérêt à un point précis fortement teinté de sombre, preuve d'un trouble enraciné, susceptible d'avoir des répercussions plus conséquentes. Dans cet ordre d'idées et avec beaucoup de pratique, il est possible de déceler de la sorte, entre autre, une vésicule biliaire «engorgée», un début d'ulcère à l'estomac ou encore la naissance de calculs rénaux. L'idéal consiste évidemment à repérer l'apparition de tels indices sur les enveloppes plus subtiles que celles de l'éthérique lorsque cela se présente, c'est-à-dire lorsque le trouble a une racine que l'on pourrait qualifier sommairement de «psycho-somatique». En réalité, outre les simples blocages de prâna, ne naissent dans la zone vitale que les taches provoquées par un agent extérieur (l'absorption ou l'application d'un produit nocif pour l'organisme offre un cas typique).

Il est cependant évident que la maîtrise des corps et

des enveloppes supérieures de l'être peut considérablement renforcer et caparaçonner jusqu'à l'extrême l'organisme éthérique et son prolongement physique. On connaît les capacités de certains yogis...

Les zébrures

Elles sont toujours signe de désordre et indiquent un mal en phase d'expansion. Elles vont du gris moyen au rouge-brun selon la gravité du trouble et doivent inciter à beaucoup de vigilance envers la zone concernée.

Les éclairs et les étincelles

On aura rarement une perception d'« éclair » en surimpression sur le corps physique lui-même mais plutôt dans les régions astrale et mentale. L'éclair, le plus souvent rougeâtre, est une marque d'irritation, d'agressivité. Une expression populaire ne dit-elle pas « voir rouge » ? De tendance sombre ou noirâtre il est porteur d'un élan de grande colère et même de haine.

Les étincelles ou flammèches d'un gris nettement rosé au-dessus d'un organe signalent l'inflammation ou l'infection. Un tout autre type d'étincelles, à tendance plus rouge, se manifeste aussi assez souvent dans les auras émotionnelle et mentale. Ce sont des marques d'anxiété et de grande nervosité dont il pourra être intéressant de trouver l'origine exacte. Savoir en effet que telle anxiété trouve son point d'ancrage dans une préoccupation d'ordre mental (interrogation métaphysique ou souci pécunier par exemple) plutôt que dans la zone purement émotionnelle, peut avoir une réelle importance : un problème bien circonscrit est plus aisément combattu et dépassé. Cela peut s'avérer d'autant plus profitable que l'origine d'une

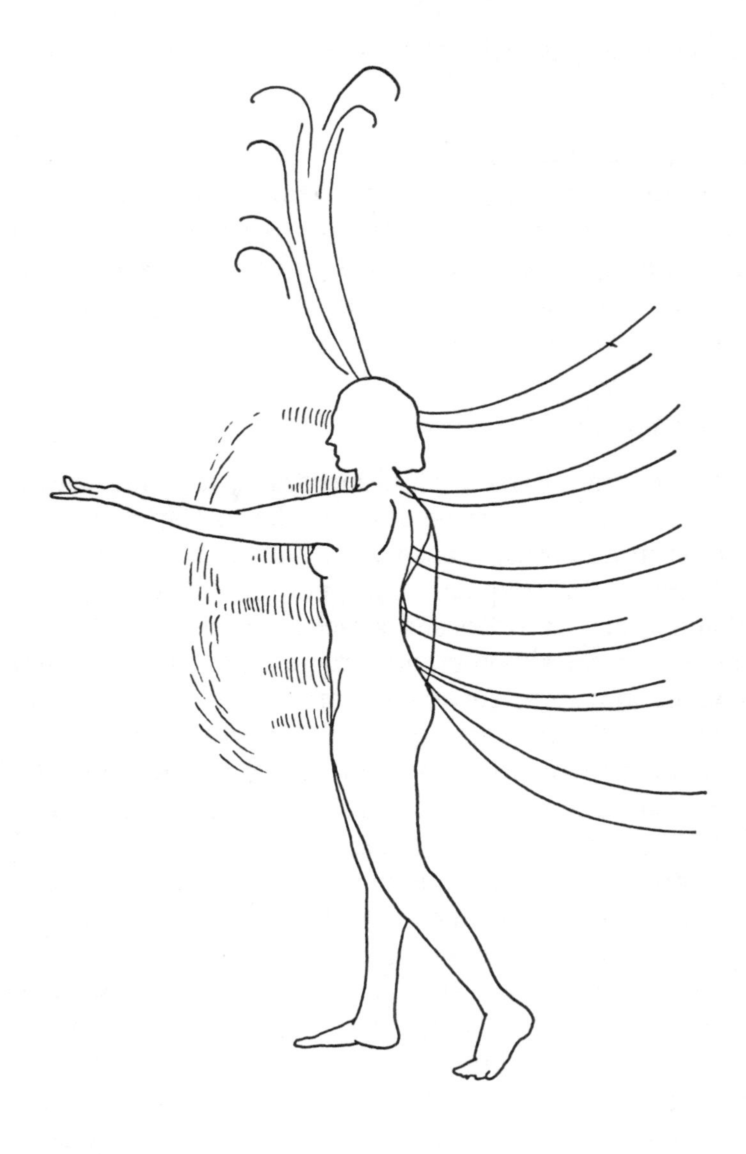

Vue de profil du rayonnement des principaux chakras

anxiété n'est pas toujours consciemment connue de l'intéressé lui-même.

Les manifestations particulières

Outre les formes-pensées qui génèrent les énergies les plus diverses, sphères, carrés, triangles ou masses ectoplasmiques, la lecture des corps permet d'aborder encore maints autres phénomènes. Aussi, la liste que nous en dressons ici n'est aucunement exhaustive.

Les chakras

Le débutant dans la captation des auras, commencera par les percevoir comme des masses très claires, plus ou moins lumineuses, réparties le long de l'axe dorsal.

Il arrive plus fréquemment qu'on ne l'imagine que ces chakras soient visibles sur la face antérieure de l'être, ce qui est logique si l'on prend conscience que les corps sont schématiquement traversés d'arrière en avant par des colonnes d'énergie prânique. De telles colonnes sont plus facilement perceptibles sur un sujet placé de profil. On voit alors très bien des rayons lumineux étagés le long de l'épine dorsale et rejaillissant en avant du corps. Il faut cependant savoir que leur polarité est inverse selon leur position faciale ou dorsale. Les chakras situés le long du dos ont une fonction réceptrice tandis qu'ils ressurgissent en avant de l'être, porteurs d'une énergie émettrice. A cela il faut ajouter que chacun des sept chakras majeurs est doté d'une polarité de base qui lui est propre. Il va de soi que la perception par l'aura de ces nuances est extrêmement délicate et que le champ d'investigation demeure considérable.

NOM DES CHAKRAS	GLANDE CORRES-PONDANTE	ORIEN-TATION	CORPS CORRESPON-DANT	ZONE DE CORPS GOUVERNÉE
7e coronal *Sahas-rara*	glande pinéale	Volonté spirituelle esprit de synthèse	corps d'esprit divin	partie supérieure du cerveau, œil droit
6e frontal *Ajna*	corps pituitaire	Force d'âme capacité d'intuition et de clairvoyance	corps de vitalité divine	partie inférieure du cerveau, œil gauche, sys-tème nerveux
5e laryngé *Vishud-dha*	glande thyroïde	L'intelligence en action. Création par le Verbe. Conscience de soi	corps mental	système respiratoire, œsophage
4e car-diaque *Anahata*	thymus	Centre de l'Amour-Sagesse. Conscience de l'action par le groupe	corps causal	cœur, système circulatoire, nerf vague
3e solaire *Mani-pura*	pancréas	Énergie émotionnelle, centre des désirs, volonté de piété	corps émotionnel (astral)	foie, vésicule biliaire, estomac, rate, système nerveux
2e sacré *Swadhi-stana*	gonades	Vie physique et manifes-tations animales	corps éthérique (vital)	appareil de reproduction
1er de base ou coccy-gien interne *Mula-dhara*	capsules sur-rénales	Dualité à dépasser, force de vie, réservoir de la Kundalini	corps physique	reins, appareil urinaire, axe dorsal

Ce qu'il est beaucoup plus aisé de noter et qui, d'autre part, s'annonce d'une grande importance en vue d'un diagnostic complet, c'est le degré d'activité ou d'ouverture d'un chakra. Comparer un plexus à une fleur plus ou moins éclose, qu'elle soit lotus ou rose, ne relève pas, nous l'avons dit, de la simple métaphore. Au cours d'une lecture de dos et de profil on voit très bien qu'il est des chakras pratiquement éteints qui paraissent sommeiller. L'idéal à observer, comme à obtenir, est évidemment un équilibrage parfait de ces centres. Le but d'une lecture sera de repérer les chakras émettant un rayonnement «anormal» par rapport à la vue d'ensemble des corps. En effet il faudra tout autant se soucier d'un plexus qui rayonne trop que de celui qui semble engourdi. Un excès d'activité est bien sûr toujours relatif et ne peut se mesurer que par rapport à celui des centres voisins.

Il est évident qu'un chakra donnant l'idée d'un fonctionnement presque nul peut être à la source de troubles importants, physiques ou psychiques. Dès qu'une dissonance se manifeste dans l'une des auras, il nous paraît essentiel, pour la suite du travail, de s'assurer si ce dysfonctionnement qui touche peut-être un organe ne s'accompagnera pas du mauvais fonctionnement du plexus qui lui correspond. Nous ne saurions trop vous conseiller de conserver en mémoire un tableau mettant en évidence les rapports unissant chakras, glandes endocrines et organes. Il s'agit là (avec évidemment un minimum de connaissances anatomiques) du seul élément d'ordre mental dont on ne saurait se passer dans la méthode de lecture des auras.

Le mauvais fonctionnement d'un chakra qui paraît éteint est dû à un manque d'assimilation de la force prânique provoqué par un blocage survenant sur un des corps subtils. Le blocage en question se manifestera par une zone grisâtre située vis-à-vis du chakra et se prolongeant de la racine de celui-ci dans le corps physique, jusqu'à l'extrémité de l'enveloppe subtile concernée. On peut dire que dans la quasi-totalité des cas, un blocage de ce type est d'ordre intime puisqu'il concerne les domaines de l'affectivité et du psychisme profond, à moins, bien sûr, qu'il ne s'agisse d'un intervenant de nature karmique. Le terme « karmique » ne sous-entend pas « inéluctable » dans le sens où un individu ne conserve pas obligatoirement un symptôme de ce type sa vie durant. Il existe bien évidemment des phénomènes ayant trait à un vécu antérieur et qui n'accompagnent l'être qu'un bout de chemin pendant son existence. L'important, nous semble-t-il, est également d'expulser du mot « karma » cette éternelle notion de « négativité » qui ne fait que polluer l'être subtil en autorisant de nouvelles barrières mentales à s'ériger ; il est des karmas très « positifs » résultant d'actions passées lumineuses ! Ici comme ailleurs il faut cesser d'entretenir tout dualisme.

Les chakras, quant à eux, apparaissent fréquemment avec une coloration qui leur est propre. Celle-ci sera de peu d'utilité dans le cas de la lecture des auras puisque chaque centre de force, hormis sa dominante de base, peut offrir à la vue des teintes très diverses selon le niveau de lecture de sa vibration. Il nous semble qu'il faille plutôt attacher de l'importance à la pureté, à la transparence du faisceau lumineux qui en résulte. On peut en effet trouver dans celui-ci, comme dans l'ensemble du corps, des sortes de scories grisâtres qui sont les éléments bloquants ou perturbateurs de l'assimilation de l'énergie primordiale. L'origine de ces scories se situe généralement dans la création de certaines formes-pensées qui viennent ainsi, bien concrètement, « fermer des portes » au développement logique et harmonieux de l'être.

Une observation patiente et détaillée des chakras permettra à celui qui est déjà expérimenté dans cette voie de s'apercevoir que chacun d'eux tourne plus ou moins rapidement sur lui-même, dans le sens des aiguilles d'une montre. On comprend mieux, dès lors, pourquoi le terme « chakra » signifie « roue ». Les chakras sont comme des cratères qui rayonnent le long de la colonne vertébrale. La zone de « dépression tourbillonnante » créée en leur centre est le point précis d'absorption du prâna. Plus la vitesse de rotation d'un de ces cratères est importante, plus celui-ci étend sa zone d'action et sa luminosité, plus aussi son point central s'ouvre à un flot énergétique nourri.

La perception des chakras secondaires, si elle s'avère moins spectaculaire, peut cependant être aussi d'une grande utilité. La netteté avec laquelle chacun de ces centres apparaît, l'harmonie qui se dégage d'eux, sont des signes non négligeables de la correcte irrigation de l'organisme en énergie de Vie. Notons simplement que ceux-ci n'ont pas un rôle assimilateur mais émetteur. Cette fonction est très aisément remarquable au niveau de la paume de la main ou aux poignets. Un faisceau lumineux, très vert à cet endroit, souvent accompagné de « gants » de la même couleur tout autour de la main, est la marque indiscutable des capacités de thérapeute de l'être qui les émet.

Les nadis

Les nadis sont, rappelons-le, les voies de communication du prâna dans le corps éthérique. Leur réseau se situe analogiquement entre celui consacré à la circulation sanguine et celui des méridiens de l'acupuncture. Le nadi primordial qui d'ailleurs, vous le constaterez, apparaît nettement à la visualisation, est appelé traditionnellement Sushumna; il suit exactement le dessin de la moelle épinière et sert de voie de passage à la fameuse Kundalini des Orientaux. Le fait que ce canal soit assez visible chez la majorité des individus ne signifie bien sûr nullement que l'« énergie du Serpent » s'y déploie parfaitement. Le seul prâna suffit à la rendre comme phosphorescente. L'une des fonctions du prâna, lorsqu'il est assimilé correctement par l'ensemble des chakras et essentiellement par le septième, le coronal, est d'aller stimuler l'énergie de la Kundalini dans la région du double subtil des organes génitaux. Dans le cadre d'une lecture des auras, on sera particulièrement attentif à la régularité de la colonne lumineuse du nadi principal. Certaines grandes fatigues apparemment insurmontables proviennent d'une irrigation insuffisante ou irrégulière de ce canal qui rayonne alors soit faiblement soit comme en pointillé, mettant en évidence une ou plusieurs ruptures.

De chaque côté du nadi Sushumna pourra se manifester la présence lumineuse des deux grands axes de circulation de force, de polarité respectivement masculine et féminine, *Pingala* et *Ida*. La visualisation, beaucoup plus délicate, de ces colonnes d'énergie permet de se rendre compte qu'elles s'entrecroisent de façon régulière le long de l'axe majeur et donnent ainsi l'image exacte du caducée. Expérimentalement, on peut donc constater que c'est une triple flamme qui répartit l'énergie de Vie dans l'être tout entier. Les planches d'étude utilisées par diverses grandes traditions et mettant en évidence nadis et chakras sont ainsi bien loin d'être symboliques. Nous avons déjà également cité la présence de deux nadis capitaux se croisant sur le buste un peu à la façon d'une paire de bretelles. Il est à noter que si l'un d'eux présente des irrégularités, des ruptures dans sa luminosité, il s'agit d'un signe avant-coureur de problèmes d'ordre cardiaque ou tout au moins de troubles circulatoires importants.

Vous accorderez aussi une attention toute particulière aux nadis irriguant les jambes. Ils véhiculent vers l'ensemble du corps une partie non négligeable des forces telluriques dont chacun a besoin pour son propre équilibre. Lorsque ces canaux sont entrecoupés de zones grisâtres, lorsqu'ils sont à peine visibles, ils laissent présager également des ennuis d'ordre circulatoire dans les jambes, voire des varices si ces zones grises sont étendues largement le long des nadis. C'est l'intensité de ces taches qui déterminera le degré de proximité de la manifestation disharmonieuse. Le problème sera plus préoccupant si les canaux subtils suivant assez fidèlement les plis de l'aine paraissent obturés par des masses sombres. En effet, lorsque ces signes persistent, l'organisme a tendance à se couper de ses racines-mères et donc à se dévitaliser partiellement. Il se fatigue rapidement et éprouve des difficultés à « recharger ses batteries ». Des massages de la plante des pieds, des jambes (essentiellement sur leur face interne) et des plis de l'aine seront, là encore, très utiles.

L'irrigation correcte de cette partie du corps ne doit pas être reléguée au second plan car il est vrai qu'une bonne quantité de notre alimentation subtile de base provient de la terre elle-même. Cela se vérifie si bien qu'un des signes d'apparition du cancer sur les plans non manifestés est la formation de zones grisâtres excessivement larges le long des mollets et parfois même des jambes au point de donner la sensation que l'être porte des chaussettes sombres ou d'épais collants. A chaque fois qu'un tel indice apparaît, il ne faut cependant pas en conclure qu'il y a un cancer latent; il faut simplement savoir que cet état de fait favorise son implantation. Nous tenons à ajouter ici qu'il est inutile de tenter une lecture d'aura sur des jambes encore revêtues d'un collant même si celui-ci est transparent. La nature de son matériau crée des phénomènes électriques et magnétiques qui empêchent tout travail de visualisation sérieux.

Il nous est arrivé à quelques reprises d'observer des enfants autistes ou montrant des signes d'autisme. Nous avons pu remarquer que de tels êtres possèdent une aura mentale excessivement développée pour leur âge (elle n'est généralement qu'embryonnaire chez un enfant) tandis que l'éthérique de leurs jambes semble englué dans des masses brumeuses d'un gris profond. Cette radiance sombre dépasse, dans les cas observés, la seule enveloppe vitale pour s'étendre au niveau astral puis mental. C'est par conséquent un mécanisme de raisonnement et d'analyse d'une situation, conscient ou non, qui semble à l'origine d'une telle perturbation de l'être. Un déblocage de la situation devrait pouvoir être entrepris par une réénergisation progressive des nadis concernés. Même si le problème demeure plus interne, il est certain qu'un simple travail concernant l'éthérique peut s'avérer encourageant.

L'instabilité des auras

Si vous avez la chance de pratiquer des lectures de l'aura sur des personnes très diverses, il est possible que vous vous trouviez un jour face à un ensemble d'enveloppes subtiles fluctuantes et même fuyantes. Nous voulons dire que dans certains cas, plus fréquemment au niveau astral, l'aura ne présente pas de caractères de fixité ou de stabilité. Tantôt elle semble vouloir glisser vers la partie droite du corps, tantôt vers sa gauche, un peu à la façon d'une flamme que viendrait faire danser un déplacement d'air. C'est la marque d'un manque assez important de maturité de l'être émotionnel. C'est aussi le signe de celui qui ne trouve pas sa voie, qui demeure encore en quête de « la branche où il doit se poser ». Si les fluctuations de cette aura sont rapides, l'être qui les manifeste montrera fort certainement une tendance à l'opportunisme par manque de clarté dans ses propres choix.

Les décalages

Un tout autre phénomène est celui des auras — donc des corps — décalées. Les enveloppes successives apparaissent dans ce cas plus ou moins décentrées par rapport à la silhouette physique. L'être qui présente ces signes peut dans sa vie quotidienne éprouver des troubles très divers dont il ne cerne pas la cause. Les plus fréquents d'entre eux seront cependant l'insomnie, les maux de tête, les vertiges. Les causes de semblables décalages sont généralement de trois ordres.

Le phénomène le plus courant et qui ne concerne que les enveloppes éthérique et astrale est consécutif à un réveil brutal. Le corps astral réintègre alors mal sa contrepartie de chair (dont il s'est extrait nécessairement pendant le sommeil), tandis que le corps éthérique qui a relâché son emprise durant cette même période se trouve lui aussi légèrement « déphasé » par rapport à l'organisme dense. C'est un trouble désagréable mais anodin et une nouvelle nuit suffira à tout remettre en place.

Le second type de décalage des corps est dû à une dissonance d'origine émotionnelle ou mentale. On peut dire succinctement qu'il est causé par un refus d'affronter, à chaque réveil, l'existence quotidienne. Chez les êtres présentant un tel symptôme, toute journée prend le visage d'une lutte pénible à mener, d'une réelle épreuve, d'une épuisante course d'obstacles. Inconsciemment, l'être veut donc poursuivre son sommeil où il mène une autre vie dans d'autres niveaux de la conscience et ce n'est que de force que ses véhicules subtils réintègrent ce qu'ils considèrent en conséquence comme leur prison de chair. Une réintégration à contre-cœur aboutit, on le voit, à un décalage entre les divers niveaux de vie[1]. L'individu est alors constamment « mal dans sa peau » et de multiples pathologies peuvent apparaître comme autant de refuges par le biais desquels il sera pris en charge ou, si le cas est plus aigu, au moyen desquels il se « coupera les vivres ». Ce processus est évidemment connu depuis longtemps mais il semble bon de pouvoir en détecter les premières traces par la lecture aurique afin d'aider l'autre à réagir rapidement. Le seul véritable remède à cette situation est une réforme de « l'état d'esprit » de la personne concernée. Une prise en charge de l'être par lui-même, une

1. Dans un tel cas, la corde d'argent demeure distendue.

volonté nouvelle d'affronter l'existence sera bien évidemment le facteur décisif. C'est souvent un travail de longue haleine et il importera de s'aider soi-même et de se responsabiliser.

Le troisième cas s'annonce d'un tout autre domaine puisqu'il fait appel à un élément extérieur à l'individu. Nous voulons parler de la possibilité de parasitage d'un être par une force, éthérique ou astrale, qui lui est étrangère au point de perturber gravement son comportement physique, émotionnel et mental. Il faut bien savoir que ce parasitage, habituellement appelé envoûtement ou possession, repose toujours sur une faiblesse de la coque aurique dans son rôle de bouclier. La plupart des cas, cela mérite d'être signalé, sont des cas d'*auto-parasitage.*

L'être, pour une raison X, bâtit une forme-pensée qu'il entretient continuellement et qui associée, par le jeu des affinités, avec une sorte de « micro-organisme » éthérique, parvient à polluer sa propre aura, puis en déstabilise les composants. Les troubles consécutifs à ce mécanisme peuvent être tout aussi pénibles et insupportables que ceux provoqués par une manipulation extérieure qu'il est inutile de nommer.

Dans les deux cas, les rayonnements des différents corps apparaîtront nettement décalés les uns par rapport aux autres et tout à fait instables. Le parasitage se manifeste généralement sous la forme d'une importante masse noirâtre ou brun foncé oscillant à proximité du corps physique et se localisant vers la région de l'organisme particulièrement agressée. Lorsque de tels cas se présentent on peut souvent constater un blocage complet de un ou plusieurs chakras.

Encore une fois nous ne saurions trop conseiller d'être circonspect dans ce domaine en matière de tentative de diagnostic car il serait excessivement maladroit et néfaste de voir partout ce genre de phénomène. Son existence méritait cependant d'être signalée car il est grand temps que l'on sache la considérer avec sérieux et qu'on ne l'assimile pas systématiquement à l'épilepsie ou à l'hystérie. La résolution de tels phénomènes est évidemment l'affaire de « spécialistes » authentiques qui, en plus de qualités de cœur, bénéficient d'un dynamisme éthérique double par rapport à la moyenne. Il est évident que la capacité vitale de tels individus ne s'improvise pas ; elle fait partie de leur potentiel de naissance et il serait vain de croire que l'on peut se l'approprier simplement parce que l'ego le désire, sur la base de quelques pratiques rituelliques.

Dans tous les cas, avant de conclure au décalage d'une ou de plusieurs auras, il est capital, croyons-nous, de bien s'assurer de la *régularité de l'éclairage* de la silhouette observée. Vous ne serez pas sans remarquer qu'une source lumineuse située sur le côté d'un corps et non pas résolument derrière celui-ci peut créer des sensations de décentrage de l'aura, tout à fait illusoires...

Quelques observations particulières

Au titre des manifestations exceptionnelles, il faut ajouter celle consécutive à des membres ou parties de membres amputés. A l'observation, nous l'avons déjà signalé, la zone éthérique en question ne disparaît pas immédiatement avec la partie sectionnée. Dans la majorité des cas une énergie vitale ne parvient à se dissoudre dans l'océan de son élément qu'une quarantaine de jours après la disparition de son support physique[1]. L'aura éthérique, comme si « quelque chose » la gommait, s'estompe alors progressivement. Avec elle s'évanouit aussi, pour la personne concernée, la sensation de percevoir encore la présence du membre. Il arrive cependant que cette perception persiste des années après l'amputation et qu'elle s'accompagne même de douleurs. Cela s'explique par le fait que l'« instinct vital » de l'individu refuse la réalité de l'amputation et qu'un tissu éthérique est constamment retissé à l'endroit de la partie sectionnée par une action inconsciente de la pensée.

Deux autres phénomènes peuvent également attirer l'attention lors d'un examen de l'aura. Ceux-ci sont évidemment beaucoup plus fréquents puisqu'ils concernent l'organisme de tout un chacun dans les régions de la rate et du foie.

En effet, il ne faudra pas s'étonner de voir des turbulences éthériques ou astrales importantes dans ces deux zones, à condition bien sûr qu'elles laissent une impression de limpidité. La rate et le foie sont des organes respectivement liés au corps vital et au corps émotionnel puisqu'ils en sont le siège. Une forte activité sous forme de tourbillons dans leurs parages est par conséquent du domaine de la normale et ne mérite pas qu'on s'y arrête autrement que pour apprendre à mieux les percevoir.

Le procédé Kirlian

On a beaucoup parlé ces dernières années de « l'effet

1. On comprend ainsi le pourquoi de la traditionnelle messe consacrée aux défunts 40 jours après leur « mort » dans la pratique catholique.

Kirlian », du nom de ses inventeurs, un couple soviétique. A la vue des phénomènes lumineux entourant un organisme et que met en évidence leur dispositif, nombreux sont ceux qui se sont écriés et s'écrient encore que l'aura est enfin décelée par un moyen tangible. Notre intention n'est pas ici de jouer aux « trouble-fête » mais nous ne pouvons, par expérience, adhérer totalement à cette vision des choses. S'il est incontestable que le procédé Kirlian et les autres techniques qui en sont issues révèlent la présence d'une énergie émanant d'un corps jusqu'à présent réfuté par les rationalistes, on commet une erreur en la baptisant du nom d'aura. A notre connaissance et d'après nos propres observations, il ne s'agit pas même de l'enveloppe éthérique mais de la réaction d'un champ magnétique par rapport à celle-ci. La véritable aura, nous l'avons vu, celle qui met en évidence les multiples champs de réalité de l'être, se propulse infiniment plus loin du corps physique. Nous ne voulons pas dire pour cela que l'effet Kirlian ne doive pas être pris en considération. Au contraire, nous le tenons comme une étape encourageante, comme un indice afin d'aller plus loin, mais encore faut-il accepter qu'il y ait un « plus loin » et ne pas se dresser d'autres limitations mentales. Il nous souvient à ce propos des réactions de rejet total d'un parapsychologue quant à certaines particularités de la projection astrale qui ne coïncidaient pas avec ses théories. Ce faisant, il agissait analogiquement à tout scientifique qui s'attaque à la parapsychologie parce qu'elle analyse des phénomènes n'ayant pas place dans son système de conception du monde. Ainsi, limiter la recherche de la vie subtile à l'effet Kirlian revient-il à tomber dans le même piège. Il nous semble qu'une âme mûre doit être capable d'entrevoir des possibilités de réalité en dehors des schémas systématiques que lui impose sa compréhension des choses.

Quoi qu'il en soit, nous ne pensons pas que l'élaboration d'une machine, même excessivement perfectionnée, résolve le problème de l'aura pour la simple raison qu'il est vain de vouloir cerner l'Infini. L'âme et l'esprit humain ou, si l'on veut, la Force de Vie dans sa totalité, sont à notre sens un aspect de cet Infini. Si une énergie peut parvenir à les appréhender, à les comprendre et à les aimer, c'est justement cette Vie elle-même. Il y a fort heureusement un certain type de regard et d'amour qui parcourt les mondes beaucoup plus loin et plus fidèlement que tous les composants techniques envisageables.

La véritable lecture des auras doit être assurément une voie de plus pour cheminer vers le Soleil intérieur.

Ainsi, que l'on ne dise pas « je veux savoir » ou « je veux voir » mais que l'on demande plutôt la grâce de comprendre et de laisser venir à soi...

CHAPITRE IX

Comprendre la maladie

Apprendre à ressentir, à lire, à comprendre, tel a été jusqu'à présent notre objectif. Ce travail serait, nous semble-t-il, bien incomplet s'il ne se concluait pas par une démarche visant à expliquer la situation au sujet observé. Nous voulons dire qu'il ne suffit pas, bien sûr, d'énoncer la réalité de certains signes en déclarant platement à un être que ses reins ou son foie, par exemple, s'apprêtent à mal fonctionner... encore faut-il cerner l'origine du tumulte et savoir en expliquer les raisons. En résumé, ne dites pas simplement à quelqu'un de quoi il risque de souffrir, dites-lui « pourquoi », tentez de lui brosser le mécanisme qui a pu l'amener à cette situation, dépeignez-lui le processus de toute maladie.

Pour cela il faut évidemment un peu de temps et beaucoup d'amour car on ne saurait entreprendre cette phase finale de la lecture d'aura en exposant froidement un mécanisme. De ce fait aussi, il importera de maîtriser clairement les notions utiles à l'explication.

Qu'est-ce qu'une maladie?

Sachons tout d'abord que ce que l'on appelle une maladie est un être ou, si l'on préfère, une entité. Non pas évidemment un être comme vous et nous mais un être qui a sa raison d'exister même s'il ne possède pas de conscience de soi. Sa force prend racine dans l'Ether et se base sur celle d'un égrégore, celui formé par un individu particulier ou par l'humanité tout entière. Si le terme d'« être » indispose, on peut aisément lui substituer celui d'« énergie », énergie véhiculée par l'éthérique de notre monde et qui acquiert une forme d'autonomie.

Quoi qu'il en soit et quel que soit le vocabulaire choisi, il nous paraît primordial de bien faire comprendre le rôle joué par la coque aurique face à une manifestation disharmonieuse. Si les auras sont des émetteurs d'amour, de jalousie ou de tout autre sentiment, elles jouent aussi le rôle de cuirasse ou si l'on préfère de bouclier énergétique. La force de celui-ci dépend de toute évidence de la qualité de la vie physique d'un organisme, de son environnement, de sa nourriture, mais aussi, et cela de façon capitale, de la luminosité de l'être. Qu'est-ce que cette luminosité si ce n'est l'état de transparence, la force engendrée par l'Amour ?

Encore l'amour, direz-vous ! Voilà une notion tellement usitée, usée même, qu'elle semble parfois ne plus signifier grand-chose. Tout a pratiquement été dit sur l'amour avec des mots humains et si la situation n'a pas été débloquée c'est bien justement parce qu'il faut aller au-delà des vocabulaires terrestres. Inutile donc d'ajouter nos propres discours à ceux déjà prononcés ; disons simplement que l'amour doit être avant tout don inconditionnel de soi, sans émotivité, mais avec tolérance et absence de jugement. Il est le grand épurateur de l'âme, l'eau qui lave les corps subtils, le chirurgien des tissus impalpables, l'architecte de la santé totale. Il ne faut pas en faire un état d'âme puisqu'il est un état d'être. Ce n'est pas non plus une philosophie mais une compréhension profonde de la loi des choses.

Attention cependant, il ne s'agit pas uniquement de l'amour envers les autres et l'univers mais aussi de l'amour envers soi. Cet amour est totalement différent de l'amour-propre qui pourrait en fait s'appeler « amour envers moi », c'est-à-dire envers le masque de notre personnalité temporelle. Nous devons comprendre, et c'est ce qu'il convient d'expliquer, que chacun de nous est une des facettes de la grande manifestation de Vie — le Grand Tout. C'est à ce titre que chacun se doit de respecter autrui et de se respecter lui-même. Il semble que l'humanité doive réapprendre à s'aimer c'est-à-dire à se réidentifier et à honorer son Essence, sa Divinité première. Morales et religions peuvent être totalement étrangères à ce concept. Si la pureté d'une âme conditionne la solidité et la limpidité de la trame des auras, inversement ses imperfections et ses petitesses y créent de réelles brèches par lesquelles s'engouffre l'énergie de déstabilisation que nous avons appelée « entité-maladie ». Il va de soi que plus une âme présente de faiblesses, à quelque niveau que ce soit, plus ses radiances offrent des inégalités, des scories qui deviennent autant de points vulnérables aux agressions surgissant de l'extérieur, quand ce n'est pas évidemment de l'intérieur. Ce sont les brèches apparaissant sur l'aura qui créent ces sortes de fuites énergétiques ou « geysers » que nous avons déjà signalées. Même si un composant extérieur à l'être, par exemple une substance chimique, parvient à enclencher un mécanisme régénérateur de l'éthérique, l'état de dissonance persiste et réapparaîtra tôt ou tard sous la forme d'un autre symptôme. Cela explique la raison pour laquelle certains êtres passent leur vie durant d'une maladie à une autre. Les pollutions mentales et égotiques, même si elles ont parfois leurs racines dans le karma, sont toujours les sources premières des troubles qui affectent la santé d'un organisme.

La force de la pensée

Ces constatations nous amènent à aborder plus précisément le domaine de la pensée et de la maîtrise de celle-ci.

Trop nombreux sont ceux d'entre les hommes qui s'imaginent qu'une pensée est tout simplement « quelque chose » de très vague, par exemple un influx dont la destination est de se perdre dans une sorte de néant. Par les notions d'« ondes » la science officielle a, semble-t-il, commencé de prouver qu'il n'en est rien. Notre langage n'étant évidemment pas celui d'un physicien ou d'un biologiste, notre approche du phénomène de la pensée ne peut donc prendre que le visage d'un vécu différent.

Que ce soit en état de décorporation ou en situation de lecture des enveloppes subtiles nous avons pu observer un grand nombre de fois de quelle façon une pensée parvient à se concrétiser. Nous avons toujours remarqué que, dès qu'une onde mentale ou une pulsion émotionnelle est émise par un être, un renflement vient à se manifester à la surface de l'une de ses coques auriques. Ce renflement qui est issu d'une force créatrice ayant généralement son siège dans les deuxième et troisième corps subtils (astral et mental) va jaillir immédiatement de ceux-ci pour adopter deux types d'itinéraires.

Le premier possible sera intérieur, c'est-à-dire que la pensée se manifestera par une masse d'énergie se déplaçant en circuit fermé dans la zone des auras, polluant ou purifiant celle-ci. C'est le phénomène de l'idée fixe.

Le second sera extérieur à l'individu, c'est-à-dire que la pensée donnera lieu à une puissance à part entière, douée d'une forme d'autonomie capable de voguer vers l'univers entier selon la durée et la force du souffle qui l'a émise. Cette puissance ou cette énergie est dotée d'un corps très nettement discernable à un œil tant soit peu exercé, un corps plus ou moins plaisant à la vue, plus ou moins lumineux, plus ou moins structuré ou élaboré.

L'être qui pense agit donc bel et bien comme un créateur dans le monde éthérique et la forme-pensée devient aisément un « être-pensée » pour peu qu'elle soit constamment nourrie par des ondes mentales du même type qu'elle. Elle se transmue alors en créature lumineuse ou au contraire destabilisatrice, en ne considérant bien sûr ici que les deux cas extrêmes. Selon le grand principe qui veut que tout ce qui se ressemble s'assemble, les pensées du même type convergent les unes vers les autres afin de constituer ce qu'il est convenu d'appeler un égrégore, énorme réservoir éthérique d'énergies de nature semblable. En d'autres termes, si vous êtes fréquemment générateur de pensées et de pulsions de colère, vous créez une sorte d'être qui, non seulement obscurcit votre avance en encombrant votre propre aura, mais encore va se joindre à l'égrégore général de la colère.

Ainsi naissent dans l'univers des énergies qui finissent par s'infiltrer au cœur de la vie de façon insidieuse;

ce sont les véritables moteurs de la violence et de la guerre et nous en sommes tous responsables.

Il existe évidemment une infinité d'égrégores différents, non pas seulement pour des pensées distinctes ou des émotions, mais aussi pour des courants de pensée. A partir de là, on peut comprendre aisément que de tels réservoirs énergétiques sont capables d'influencer la vie de la planète et de l'humanité, la parasitant constamment ou au contraire la purifiant. Qui plus est, chaque être a la possibilité, consciente ou non, de puiser des forces dans le ou les égrégores en résonance avec ses propres desseins ou tendances.

Cela nous entraîne moins loin qu'on ne l'imagine des notions de santé et de maladie. En effet, nous avons pu constater que plus une pensée peut être considérée comme pure, plus sa nature amène une augmentation du rythme vibratoire des corps subils aboutissant à une consolidation des enveloppes auriques successives. L'inverse est évidemment vrai. On nous répliquera bien sûr qu'il est des individus peu recommandables dont la santé est éclatante et d'autres à l'idéal élevé qui demeurent constamment souffreteux. Cela s'explique par le fait que les ultimes barrières aux disharmonies que constituent le cocon éthérique et le corps physique sont plus ou moins denses et « friables » en fonction de facteurs généralement karmiques. Quoi qu'il en soit, une énergie engendrée ne se perd jamais, elle retourne toujours sous une forme ou sous une autre au grand corps que représente l'humanité et à son émetteur premier, l'individu. Cela n'induit en aucune sorte les notions de récompense ou de châtiment ; cela met simplement en relief un grand mécanisme naturel qui veut que tôt ou tard — dans une existence ou dans une autre — chacun récolte ce qu'il sème. La Nature ou la Force Divine n'agit jamais arbitrairement. C'est l'homme et en général toute créature qui, en fonction de son pouvoir de décision, joue à son gré avec un immense potentiel de cartes.

De tout cela il faut retenir que chaque disharmonie de l'âme ou du corps a pris racine un jour ou l'autre au niveau de l'énergie de la pensée. C'est pourquoi nous ne croyons pas inutile d'affirmer que *la maîtrise de la santé totale passe nécessairement par la maîtrise de notre capacité de penser.* Cela dit, il nous semble également que la maladie ne doit pas être vécue comme une sanction de l'homme envers l'homme, mais en tant qu'élément susceptible de lui faire comprendre quelque chose, de l'amener à un vécu et donc de susciter une réflexion. Une maladie dont les origines paraissent indécelables et dont on a envie de dire parfois qu'elle est injuste est toujours une « mise au point », un réajustement de l'être profond avec lui-même. Bien évidemment cela ne signifie pas qu'il faille laisser stoïquement un trouble se développer, il faut plutôt tenter de comprendre le pourquoi de la situation et ne pas rejeter le trouble comme une force fondamentalement noire. Par essence, toute obscurité porte en elle le germe de la lumière.

Puisque l'aura de nombreux êtres est parvenue jusqu'à présent à polluer l'aura de la Terre, le travail de celui qui se veut conscient commencera donc par une volonté de nettoyage de ses propres niveaux émotionnel et mental. En même temps qu'il peut être son propre thérapeute, chacun devient ainsi médecin de la Terre elle-même. L'aura se pose en quelque sorte comme le passeport authentique de toute forme de vie dont elle émane... Et qui voudrait continuer à « subir » son passeport personnel ?

Voilà pourquoi la médecine totale, la « thérapie royale » sera en définitive celle de l'Amour, « poudre de projection de la Lumière ». C'est de ce grand agent de transmutation, qui reste à redécouvrir pas après pas, dont il sera question dans la seconde partie de cet ouvrage.

Intermède en un lieu de l'âme

« Il est une lumière qu'il vous faut réapprendre... et cette lumière n'est pas la résultante d'études longues et arides, elle est à portée des cœurs... une simple façon d'être... ou de naître.

« Mais voilà... est-elle bien ancrée en vous cette volonté de naissance ? Non, je ne vous parle pourtant pas d'un désir d'action ; ce ne serait encore qu'une projection de plus vers un futur illusoire. Je vous entretiens de l'action elle-même, de l'action de Lumière à laquelle vous devez déjà vous identifier en entendant ces mots.

« Vous qui voulez panser les âmes et les corps, ne vous dirigez plus vers un but situé hors de vous-même. Là où ne s'épanouissent pas les pétales de votre cœur surgit le Labyrinthe d'Egarement. »

Une fois de plus les portes de notre âme ont volé en éclats, emportées par l'onde d'un coup de tonnerre muet. Il est toujours là, l'être à la chevelure de jais, plus présent que jamais et c'est lui qui prononce ces paroles de vérité. Ce sont des chapelets de mots semblables à des miroirs ; à travers eux, c'est nous-mêmes que nous sommes contraints d'observer.

La grande pièce toute blanche, pure comme un quartz, n'a pas changé, elle non plus. Une centaine d'hommes et de femmes y est toujours assise, paisiblement, le fond de l'âme rivé sur la haute silhouette qui se tient debout, immobile, mais pulsante tel un lotus sortant des eaux. Cette forme immaculée, nous n'osons même plus la nommer ; ne serait-ce pas une étiquette de plus pour alimenter le feu de ceux qui classent et compartimentent ?...

Sa parole à nouveau vogue vers nous, comme un esquif chargé des senteurs du soleil...

« Vous voulez panser les hommes, dites-vous, vous voulez enseigner aux corps et aux cœurs les baumes qui leur sont propres... Ce sanctum, amis, n'est pas une école où vous apprendrez cela, mais simplement une source où tous ceux qui le veulent peuvent s'abreuver pour stimuler leur volonté, désembuer leur conscience. Ainsi, vous serez témoins, catalyseurs, plutôt qu'enseignants d'une réalité qui ne se cultive qu'en désapprenant.

« D'aucuns vous diront pionniers d'un nouvel obscurantisme... Qu'importe ! Vous laisserez le flot de ces paroles s'essouffler de lui-même. Il n'y a de lutte à mener contre personne car l'"autre" est toujours un peu de nous qui tente d'épuiser les leçons d'une forme de conscience différente. Si mes Frères et moi-même distillons mille petits indices comme autant de pierres blanches sur votre chemin, que ceux-ci ne soient pas vos maîtres inflexibles mais des simples bâtons de pèlerins, des bâtons qu'il vous faudra enfin laisser sur le bord de la route pour avancer plus légers.

« Vous qui écoutez, en vérité, sachez-le, ce dont nous avons à vous entretenir, ce que vous avez à transmettre ne sera jamais autre que ceci... »

Un incroyable silence est tombé d'un coup sur notre petite assemblée, poignant comme celui des terres noyées dans les profondeurs marines, aérien comme celui d'une âme qui vibre sous les cieux étoilés.

Quelque chose bouge en nous tous, quelque chose se secoue à la racine de notre être et qui fait songer à une vieille connaissance, à un ami d'autrefois. C'est une force semblable à une vague... et cette vague est comme un raz-de-marée. Elle nous gonfle le cœur d'un amour indicible, d'un amour qui soudain ruisselle puis bondit en nous tel un torrent de montagne. Oh, comment définir cette force, comment parler de quelque chose qui semble dilater le moindre atome de cette matière dont nous sommes faits?

Palpiter au sommet d'un pic de plénitude totale, porté par une brise sous laquelle toutes les désespérances s'enfuient... Qu'espérer de plus?

Un instant nous levons les yeux, peut-être pour mieux saisir le souffle ensoleillé qui s'empare de notre être. Toute l'assemblée nous semble alors pareille au cristal, moulée dans la lumière par une même volonté, et sculptée en un unique élan de Paix.

L'être n'a pas bougé de place mais il paraît s'être fait diamant. Sans doute est-ce sa présence qui nous irradie ainsi, véritable bombe d'amour qui expanse jusqu'à nous les contours de sa silhouette.

Progressivement, la vague a roulé sur nos plages intérieures laissant le souvenir de quelques paillettes d'or au creux de nos mains. Alors, c'est comme un long soupir silencieux qui s'exhale de l'assemblée. Nous tous aurions-nous enfin compris? Sans plus attendre, la voix de l'Etre de Lumière reprend...

«Si vous voulez panser les hommes ainsi que notre Frère le Soleil le fait, dit-elle, c'est cette vibration, celle-là même que vous venez de vivre, qu'il vous faut exprimer!

« Ne vous y trompez pas, ce n'est pas celle d'un dieu, ni celle de quelque point inaccessible qui sans cesse s'estompe à l'horizon.

« Cet état de transparence totale est vôtre à tout jamais, pour peu que vous ne le désiriez pas pour vous-même, pour peu enfin que vous acceptiez le bain purificateur de la refonte de votre conscience.

« Si je vous donne cent éléments de travail, n'en faites pas des rails pour obliger votre avance; ce ne seront que de petits faisceaux de lumière pour vous discipliner un temps car, je vous l'affirme, l'essentiel est dans le chemin qui court de votre cœur à vos doigts. »

Ainsi, selon les conseils qui nous furent prodigués en un lieu de l'âme, que le contenu des pages à venir ne soit jamais considéré comme un enseignement rigide. Il n'a d'autre intention que de constituer un ensemble de points de repère, une simple marche pour redécouvrir la vraie Force de Vie qui a pour nom Amour.

C'est sur elle et sur rien d'autre que se base la médecine des énergies.

CHAPITRE X

L'amour-thérapeute

Nous l'avons déjà laissé entendre à plusieurs reprises dans cet ouvrage, notre intention en écrivant ces lignes est simplement de déchiffrer un peu plus la vie qui permet à chacun de reprendre contact avec ses capacités fondamentales, de se redécouvrir dans sa véritable dimension d'amour.

Un des plus vieux et des plus beaux rêves de l'homme a toujours été d'apprendre à soigner, de savoir guérir, de développer en quelque sorte une puissance capable de dompter sans cesse davantage la vie, la souffrance et la mort. C'est évidemment un rêve qui met en relief la noblesse de l'âme mais c'est aussi un rêve capable d'exalter tout aussi bien un désir de pouvoir inavoué. Soyons donc clairs, le soin tel qu'il sera abordé ici n'entend rien développer d'autre en l'homme que sa capacité à servir la vie et non lui-même. Il est certain que l'on peut comparer l'être humain à une sorte de carrefour entre toutes les influences à la fois cosmiques et telluriques, à une croisée des chemins entre l'animalité et la supraconscience. En ce sens, l'homme, corps, âme et esprit confondus, que nous désirons mettre ici en lumière sera considéré comme un réel émetteur-récepteur. La thérapie que nous aborderons consistera à apprendre à marier constamment et avec force les capacités du corps humain à recevoir et à donner.

Jusqu'à présent, à de rares exceptions près, l'ensemble de l'humanité s'est davantage tourné vers le fait de prendre. Quant à l'action de donner elle est trop souvent entachée d'un désir d'auto-satisfaction en provoquant la reconnaissance d'autrui... Aussi, nous semble-t-il, prendre et donner doivent aujourd'hui commencer à résonner différemment dans nos poitrines.

Sans plus tarder, il paraît capital de réapprendre à considérer autrement ce qui nous anime afin de ne plus prendre avec les serres d'un rapace et de ne plus offrir avec l'intérêt d'un usurier déguisé.

C'est là, n'en soyons pas dupes, l'objet de la plus grande réforme de l'âme, c'est là enfin l'itinéraire de l'authentique thérapeute.

La tâche consistera donc, pour en donner une vue d'ensemble, à savoir user de nos différents corps ou, si l'on préfère, de nos différentes auras dans ce qu'elles ont d'assimilateur ou de dispensateur.

Nous avons appris par la lecture des enveloppes subtiles que certaines parties du corps humain sont des puits dans lesquels l'énergie de Vie s'engouffre tandis que d'autres agissent comme des faisceaux lumineux ou encore des batteries. Nous voulons essentiellement parler, dans les deux cas, des chakras car ils sont, dans notre corps, le terrain de prédilection pour la rencontre des énergies vitales.

Certains ouvrages font largement mention de leur polarité exacte, de leurs rapports avec les planètes et de maints autres détails. Nous considérons ces détails comme des auxiliaires occasionnels, comme de précieuses sources d'informations complémentaires, mais non pas comme outil de travail dans l'approche du soin. La raison en est simple : l'amour que nous cherchons à faire jaillir jusqu'au bout de nos doigts s'alourdit trop promptement lorsqu'il passe au crible de l'analyse intellectuelle. Nous ne « prêchons » pas pour ce que l'on appelle communément « la foi aveugle du charbonnier » mais pour une maîtrise de la machine mentale qui très souvent rend difficile ou impossible l'approche directe intérieure de la Source lumineuse. En réalité, que ceux qui se sentent tout entiers et du fond de leur cœur appelés vers une thérapie des âmes et des corps s'appliquent à révéler le *canal* en eux.

Cette tâche n'est pas si simple car être canal ne signifie pas laisser s'engouffrer en soi n'importe quelle énergie. Pour parer à toute éventualité de pollution ou de parasitage réel, c'est nécessairement la pureté de cœur qui sera l'alliée majeure. Cette recherche s'inscrira par conséquent dans la droite ligne de l'état d'esprit souhaité par la lecture des auras. Précisons néanmoins qu'il est inutile d'attendre un certain état de perfection ou d'épuration intérieure avant de s'engager dans cette voie. L'action elle-même du soin est une véritable thérapie pour l'apprenti thérapeute. Nous voulons dire que la transparence de l'être se cultive au sein même de l'action tout autant que par la volonté de travail sur soi « en circuit fermé ».

Si certains plus que d'autres manifestent ce qu'il est convenu d'appeler des dons, il n'en demeure pas moins que tous, potentiellement, avons les mêmes facultés, à différents stades de germination.

Il nous semble, de toute façon, que l'acte consistant à vouloir soigner autrui par la force de l'amour doit en quelque sorte se « banaliser », c'est-à-dire être de moins en moins réservé à des privilégiés mais s'étendre à tous ceux qui ont commencé à comprendre ce qu'est la Force de Vie et d'où elle provient...

Il ne s'agit pas bien sûr de se leurrer et de vouloir faire de chacun une espèce de « guérisseur » plus ou moins capable de soigner réellement et susceptible de laisser se développer en sourdine des troubles profonds. Il s'agit plutôt de réveiller la conscience, en l'homme, d'une force latente par laquelle tout deviendra possible.

Il faut savoir aussi qu'en écrivant ces lignes nous ne nous posons à l'encontre d'aucune des médecines existant jusqu'alors. Nous sommes persuadés que toutes ont ou ont eu leur nécessité et qu'il faut avant tout rechercher la complémentarité des méthodes. Nous sommes néanmoins également convaincus que ces médecines vont évoluer à grands pas vers une découverte des forces subtiles et par conséquent s'alléger sous l'action d'une réforme des consciences.

La grande Force de Vie demande à ce que tout en elle soit expérimenté à travers les méandres des existences afin de comprendre exactement ce qu'est la Source première. C'est pour mieux amorcer ce retour vers l'Un que ceux qui se sentent concernés par l'aide à autrui doivent dès à présent se faire chaque jour un peu plus cristal. C'est bien plus que le travail de toute une vie, c'est la tâche du grand Élan ou du Souffle auquel nous participons tous, consciemment ou non.

Que l'amour-thérapeute soit, en définitive, le maître-mot à ne pas perdre de vue dans le creuset des quelques conseils qui vont suivre. Il devra avoir plus de poids que toutes les planches d'anatomie « officielle » ou « occulte » car il est certain que, plus sûrement qu'un poison ou qu'un baume, un simple regard ou un son peut tuer ou guérir selon ce qui l'anime.

Enfin, que l'on prenne bien conscience de ceci : si nous avons été amenés jusqu'à présent à employer le mot « travail » c'est par simple commodité. L'élan qui pousse à vouloir aider autrui à dépasser ses disharmonies se doit d'être animé par une joie réelle. Ainsi, ce n'est pas un travail au sens commun du terme dont il est question mais d'une nouvelle façon d'être, d'un autre moteur de la vie qui doit s'installer tout aussi naturellement en nous que la respiration.

Dans l'acte de soigner, il nous est en fait demandé de retrouver au contact de l'autre et à travers gestes et paroles, une conscience du sacré accompagnée d'une sorte « d'instinct divin ».

CHAPITRE XI

La neutralité

Nous venons d'aborder la notion de « canal » et aussi l'idée d'un certain état de transparence à cultiver en soi. Ce sont des principes auxquels beaucoup adhèrent dans l'idéal, mais qui en fait demeurent assez flous

Qu'est-ce donc qu'un canal et qu'est-ce que la transparence ? Etre canal d'une force de lumière revient simplement à développer en soi un état de réceptivité dans lequel la personnalité inférieure, le « moi-je » quotidien, n'intervient pas. Lorsque nous disons « n'intervient pas » nous voulons dire très exactement « n'intervient à aucun niveau ».

La précision est importante car la démarche exige de la part de celui qui souhaite servir de fil conducteur à l'Energie de Vie une neutralité bien plus grande qu'on ne le suppose en général.

Cette neutralité, nous la qualifierons de non-implication dans le sens où celui qui va soigner ne doit pas « faire une affaire personnelle » de l'acte qu'il entreprend. Cela revient à dire que toute idée d'orgueil ou de désir de démonstration de capacité doit être expulsée du cœur. Cet idéal dans l'état d'esprit ne peut apparaître que si l'on a bien assimilé la réalité suivante : la force que l'on va tenter de répandre dans un organisme n'est pas nôtre. Car en vérité, à quelque degré que nous soyons dans notre personnalité incarnée, nous ne possédons pas la vraie Force de Vie, nous la laissons couler à travers nous, nous pouvons seulement nous proposer d'être son relais conscient afin de la mettre à disposition de celui qui l'appelle. Nous insistons plus particulièrement sur le terme de «conscient». C'est en effet la conscience d'une communion avec le «flux divin» qui, si elle n'intervient pas directement sur le malade, transforme et purifie chaque jour davantage le thérapeute. C'est là que se situe la transparence.

Le détachement

La non-implication que l'on doit rechercher doit aller jusqu'au détachement par rapport au résultat obtenu. Ce détachement ne sera aucunement de l'indifférence mais une manifestation autre du bonheur d'avoir pu aider, une manifestation aussi qui ne laissera pas place à l'auto-satisfaction. Nous ne parlons pas ici de l'humilité des timorés mais de celle de l'être qui a compris l'essence des choses. Cette humilité revient à une annihilation du désir de voir s'accomplir notre volonté personnelle, là où de toute évidence la Force supérieure, Dieu ou la Nature, sait ce qui convient le mieux.

Cet état de conscience ne doit en aucun cas aboutir à une sorte de fatalisme. Il doit au contraire nous aider à mieux assimiler l'idée que le meilleur thérapeute qui soit ne sera jamais maître de la vie et de la mort. Adhérer à cette vision des choses n'est pas le reflet d'une faiblesse mais résulte d'une connaissance qui rend à la maladie et à la mort leur côté initiatique. Si dans notre monde la maladie est toujours une anomalie, la mort n'est jamais une défaite en soi. En effet, tout nous pousse à affirmer qu'elle n'est l'effet d'aucun arbitraire, d'aucun hasard, d'aucune injustice. L'évangile de Matthieu ne nous dit-il pas, d'ailleurs, que nul ne saurait rajouter ne serait-ce qu'une coudée à la vie d'un homme? La vie se nourrit de la mort, c'est-à-dire de sa propre transformation. L'acceptation d'une telle réalité ne doit pas s'interpréter comme une manifestation de résignation et il y a certainement de la grandeur d'âme et même un signe de maturité, de sagesse, à pouvoir prendre un certain recul par rapport aux concepts de maladie, de vie et de mort tels qu'ils sont habituellement compris dans nos sociétés.

Au-delà du magnétisme

Puisque être canal signifie permettre à la Grande Lumière latente dans l'univers de se focaliser davantage en certains points, cela signifie que, ce faisant, le thérapeute n'appelle pas à l'action sa propre énergie vitale.

Ainsi, lorsque vous soignerez, prenez bien conscience que ce n'est pas de votre flux éthérique que vous devez donner. Si tel était le cas, vous pratiqueriez ce que l'on nomme parfois le « magnétisme animal ». Même si celui-ci peut procurer des bienfaits réels, il ne s'adresse qu'au corps vital de l'individu. Cela s'avère souvent insuffisant parce que superficiel et parce que ce procédé ne fait intervenir qu'une force à taux vibratoire moyen, impropre à véritablement transmuer l'être. Que ces termes ne choquent pas ceux qui se disent magnétiseurs car il est vrai que malgré leur appellation un certain nombre d'entre eux font appel à une force de Lumière bien supérieure à l'énergie éthérique. Il ne faut donc pas se laisser abuser par le vocabulaire, il suffit seulement de savoir ce que l'on veut et à quel degré de pureté on souhaite ardemment œuvrer. Il est tout à fait remarquable de noter que si un soin faisant appel au simple magnétisme provoque la fatigue du thérapeute, un soin mettant en action le véritable Flux de Vie a pour effet de recharger énergétiquement celui qui donne[1]. C'est là un phénomène aisément compréhensible.

Tous ceux qui optent pour cette voie comprendront que le chemin d'amour total mis en relief ici est une voie relativement lente et qui ne laisse pas place au spectaculaire. C'est un choix dans lequel tout élément de technique véritable est relégué au second plan pour enfin disparaître à tout jamais derrière le souffle intérieur sans cesse grandissant.

Il est difficile, si l'on veut éviter de tomber dans des clichés stéréotypés, de nommer avec précision l'Énergie incommensurable que le thérapeute véritable doit appeler à lui puis redistribuer. Les termes de « Force Christique » ou « d'Esprit Saint », bien que pouvant paraître justes, sont assurément trop encombrés par leurs implications dans un dogme souvent limitatif.

Au-delà de l'émotivité

Le mot Amour a également besoin d'être redéfini dans le cadre d'une démarche visant à soigner et plus généralement aussi dans toute quête de nature spirituelle.

1. Signalons toutefois que certains thérapeutes ne sont pas fatigués après un soin d'ordre magnétique parce qu'ils puisent leur énergie dans leur entourage proche.

En effet, ce n'est jamais d'amour humain dont il peut être question mais d'Amour anobli, c'est-à-dire qui n'attend rien en contrepartie, d'un Amour, enfin, où toute émotivité est exclue. Par conséquent, il ne s'agit plus du sentiment mais du Principe.

Le sentiment « amour » se développe sur les plans de l'ego inférieur et plus particulièrement au niveau astral, avec toutes les pulsions que cela comporte. Le Principe Amour, quant à lui, diffuse à partir des deux mondes de la personnalité supérieure dont il a été question au début de cet ouvrage.

L'apprenti thérapeute devra donc se méfier de ses propres réactions émotives ou affectives qui, bien qu'humainement compréhensibles, demeureront toujours des entraves à la libre circulation du Grand Flux de Vie.

Cette recherche d'un amour non affectif ou émotif ne devra évidemment pas engendrer froideur ou indifférence. Au contraire, la chaleur spontanée du cœur et la sérénité en seront les premiers éléments constitutifs. Leur naissance progressive chez celui qui emprunte la voie constitue la preuve manifeste que quelque chose d'authentique se produit dans les corps subtils et leurs rayonnements.

En fait, le thérapeute « accompli » commence déjà à panser les plaies par sa seule présence, sans même que sa volonté consciente ait à intervenir. C'est cette capacité que les Orientaux ont coutume d'appeler le « darshan ».

Pour une telle maturation du corps, de l'âme et de l'esprit, il sera donc indispensable de développer la paix en soi.

Nul n'a jamais vraiment combattu la guerre par la guerre... et qu'est-ce que la maladie si ce n'est la guerre d'un être contre lui-même?

CHAPITRE XII

Palpation éthérique et préliminaires

Il est évident que vous ne sauriez aborder le soin sans avoir appris, d'une part à tester vos réactions et votre sensibilité, d'autre part sans savoir comment « approcher » l'autre. En effet, même s'il est possible de tracer de grands schémas d'ensemble, chaque être humain a sa propre façon de percevoir la vie et d'appréhender les choses.

Ainsi, bien qu'il soit coutumier de dire que la main gauche est de polarité négative alors que celle de droite est positive, on aurait tort de croire que cette classification puisse s'appliquer à tout le monde. En effet, l'inverse peut être vrai et cela n'est pas plus surprenant que de constater qu'il est des gauchers et des droitiers. Les notions de positif et de négatif sont d'ailleurs en elles-mêmes totalement arbitraires et dépendent du niveau de réflexion sur lequel on se place. Pas plus qu'ailleurs, nous ne saurions y voir d'antagonisme. Il s'agit simplement de savoir avec laquelle des deux mains chacun est le plus apte à soigner, rien d'autre. Pour résoudre la question il faut donc se tester, apprendre à ressentir le sens de circulation de l'Énergie dans son corps.

Voici donc quelques exercices très simples, susceptibles de vous aider à vous mieux connaître.

Les premiers tests

Pour chacun d'entre eux, comme d'ailleurs pour tout ce qui touche aux soins, nous vous conseillons fortement d'ôter montre et bijoux qui influent sur la circulation des énergies subtiles dans le corps. Vous ôterez de même vos chaussures afin de bénéficier d'un contact plus direct avec les rayonnements telluriques. Vous préférerez à la position assise qui ne facilite pas une harmonieuse absorption et répartition des énergies dans le corps, soit la position debout, soit la position du lotus ou approchant celle-ci. L'attitude permise par certains bancs de méditation et qui oblige les genoux à rester en contact avec le sol est également excellente, elle a aussi l'avantage de maintenir l'axe dorsal bien droit, sans effort. Dans tous les cas, la position que vous adopterez doit être confortable ou du moins ne doit susciter dans le corps aucun point de tension capable de « distraire l'esprit ».

Le premier exercice consiste à joindre les deux mains, doigts tendus au-dessus de la tête. C'est une attitude de prière et de salut à la Force Suprême mais c'est aussi une façon de s'énergétiser les deux mains au contact du faisceau du septième chakra, si l'on vient à frotter celles-ci deux ou trois fois l'une contre l'autre. Il n'est pas nécessaire de conserver cette position plus de quelques secondes. Cela fait, vous placerez vos mains, paumes vers le haut, devant vous ou sur vos genoux, telles des réceptacles. Faites cela le plus naturellement du monde, sans crispation, en restant simplement attentif à ce qui se passe au creux de chacune d'elles. Plusieurs manifestations peuvent y naître : des picotements, une onde de fraîcheur ou au contraire de chaleur. En ce qui concerne la chaleur, il faut faire la distinction entre celle provoquée naturellement par la friction de la peau et qui n'a pas d'intérêt ici, et l'autre qui semble venir du dedans, comme alimentée par un feu d'une autre nature. Il en est de même pour la sensation de fraîcheur. Elle doit être analogue à celle d'une légère brise issue du cœur même de la main et pouvoir se comparer à un baume rafraîchissant. Dans de nombreux cas, ces perceptions se manifestent en priorité au bout des doigts ou au niveau de la jointure entre la main et le poignet (c'est-à-dire à l'emplacement d'un chakra secondaire).

Tout ce que vous aurez alors à faire c'est de noter intérieurement de quel côté, droit ou gauche, il vous semble mieux percevoir l'information et à quel endroit précis : doigt, paume ou jointure du poignet.

Si, par exemple, vous percevez aisément un courant frais au creux de la main droite vous saurez que c'est vraisemblablement avec cette partie du corps que vous pourrez donner avec le plus de facilité.

Dans tous les cas, n'erigez pas de règle et éliminez tout a-priori. Il vous est simplement demandé d'être à l'écoute de vous-même, de ce qui « vibre » en vous, dans vos mains et de la façon dont cela vibre. Il s'agit bien sûr d'être honnête avec soi-même et de ne pas se forcer à « ressentir » coûte que coûte. Le flot doit venir naturellement, il faut seulement lui permettre de percer le barrage du mental par une attitude de paix intérieure et en abdiquant tout désir personnel.

Un second exercice consiste, toujours après avoir placé les mains comme il se doit au-dessus de la tête, à tenter de percevoir le rayonnement d'un aimant. Les impressions quant à votre point de sensibilité devront pouvoir confirmer celles déjà éprouvées lors du premier exercice. Si toutefois la nature de votre ressenti change (froid, chaleur, picotements) cela ne revêt pas d'importance ici.

Une autre série d'exercices peut aussi être entreprise avec le concours d'une tierce personne afin d'approfondir les résultats obtenus par ces premiers tests. Ils constituent une approche capitale dans l'apprentissage du soin. Il s'agit de toute façon d'une étape qu'il ne faut pas contourner ni même «raccourcir» par excès d'enthousiasme à vouloir aller immédiatement au but. Le b.a.ba revêt ici une importance extrême; si on le néglige, on risque de se déplacer très longtemps dans un univers flou où l'à-peu-près est hélas de mise. Vous ne craindrez donc pas d'avancer lentement et méthodiquement. Le grand livre des énergies ne saurait se feuilleter à toute vitesse car chacune de ses lignes demande à être assimilée le mieux possible.

L'harmonisation

Pour un travail correct, il nous paraît indispensable que la personne avec laquelle vous entreprenez les exercices soit dévêtue comme dans le cas de la lecture d'aura. Il est certain que si pour un thérapeute expérimenté le vêtement ne constitue pas une gêne en soi, il reste un polluant des perceptions pour celui qui apprend puisqu'il étouffe à sa façon le rayonnement des corps jusqu'à jouer le rôle d'un filtre.

La personne qui vous prête son concours devra se tenir allongée le plus simplement du monde sans croiser bras ou jambes. Pour l'exercice qui suit, elle se positionnera sur le ventre; en effet, le contact direct avec l'axe dorsal (et son nadi central, Sushumna) le long duquel s'échelonnent de façon très nette les chakras, rendra un premier travail de perception beaucoup plus aisé.

L'approche réelle de l'être tout entier va maintenant débuter par une mise au diapason avec celui-ci. En d'autres termes, votre aura personnelle et celle du corps allongé devant vous doivent s'harmoniser le mieux possible, c'est-à-dire, pendant tout le travail, vivre selon le même «tempo».

Pour cela il est conseillé d'établir un petit contact physique avec le patient. Le plus simple consiste à lui prendre le poignet avec celle de vos mains qui vous paraît avoir le plus de capacité à donner. Votre seconde main peut alors rester placée sur le côté de votre corps, paume vers le haut, prête à recevoir. Une fois cette position adoptée, commencez discrètement, sans forcer, à respirer au même rythme que la personne qui vous prête son concours.

Il n'y a pas de limite dans le temps à ce préliminaire; ce qui importe, c'est de vous sentir en communion avec l'autre; cela implique évidemment que ce qui vient d'être décrit se fasse tout naturellement, c'est-à-dire sans qu'un processus intellectuel ne le dicte. Si la lecture d'aura vous a fourni des informations quant à la nature première du trouble à soigner, l'harmonisation peut s'effectuer d'une façon plus précise.

Ainsi, dans le cas d'un problème éthérique, la main qui établissait un contact avec le poignet se placera de préférence sur le corps au niveau du second chakra. Une origine astrale du problème l'attirera quant à elle sur la zone du troisième chakra. Enfin, dans le cas d'une source mentale, c'est le contact avec le quatrième plexus qui sera recherché.

Vient maintenant la phase de repérage de votre zone de sensibilité.

La zone de sensibilité

Choisissez approximativement l'emplacement d'un chakra, par exemple le bas de la nuque de la personne allongée, et placez votre main « active » largement ouverte à quelques centimètres au-dessus de lui. Opérez ensuite avec cette même main de lents mouvements répétés de bas en haut et de haut en bas. Ces mouvements peuvent s'effectuer sur une distance de trente à quarante centimètres. Ils n'ont pas d'autre but que de situer à quel niveau votre contact avec l'énergie subtile de l'autre s'accomplit le mieux. Il est évident que ce niveau peut changer selon la personne qui se trouve face à vous bien que peu à peu vous apprendrez à cerner votre zone idéale de sensibilité et de travail. La perception de cette zone de contact privilégié se manifestera de la même façon que dans les exercices précédents (picotements, chaleur ou fraîcheur).

Le repérage des chakras

Votre tâche consistera ensuite à faire circuler votre main à la distance déterminée le long de la colonne vertébrale, du sommet du crâne au sacrum. Vous apprendrez ainsi à localiser avec une précision croissante l'emplacement des chakras sur le corps. Ce peut être un outil de travail précis en même temps qu'une méthode apte à aiguiser aisément votre sensibilité. Il est évident que durant cette pratique votre volonté ne doit pas intervenir et que, pendant son apprentissage, vous devez vous tenir à l'écart de toute idée de soin.

Si vous avez la possibilité de multiplier les tests avec de nombreuses personnes, le travail n'en sera que plus profitable. Vous remarquerez ainsi que l'emplacement des chakras varie parfois quelque peu d'un individu à l'autre et que leur perception peut s'avérer complètement différente. Dans tous les cas, soyez attentifs à vos réactions et ne commettez pas l'erreur de vouloir situer les sept plexus principaux le long de l'épine dorsale. Seulement six d'entre eux sont aisément localisables. Une erreur assez répandue place en effet le premier chakra au niveau des vertèbres sacrées alors qu'il s'agit de l'emplacement du second.

Le chakra de base, quant à lui, est beaucoup plus interne. Certaines lectures d'aura peuvent le situer dans la région du col de l'utérus pour les femmes et du périnée pour les hommes.

L'interprétation du ressenti

Durant toute cette période d'approche, il vous faudra apprendre à interpréter avec précision les perceptions recueillies par votre main. Celles-ci sont en effet une source d'information quant à la qualité vibratoire du centre vital dont l'emplacement est repéré.

En règle générale, les picotements sont un signe de trouble, de mauvais fonctionnement. Le plus difficile revient à savoir interpréter la chaleur.

D'une manière générale également, la chaleur est preuve de disharmonie, néanmoins, à un niveau purement éthérique, le rayonnement d'un chakra peut procurer une sensation de chaleur chez la majorité des personnes. Il est évident que si tous les chakras majeurs du corps vous paraissent dégager de la chaleur vous ne devez pas en conclure qu'aucun ne fonctionne correctement. Il s'agira alors de votre propre façon de les ressentir. On aura d'ailleurs toujours intérêt sur un même corps à établir des comparaisons de perception, d'un plexus à l'autre, afin de déterminer plus aisément leur qualité de rayonnement. Les conclusions d'un tel travail doivent dans l'idéal être confrontées à celles d'une lecture d'aura.

Quant à la sensation de fraîcheur, ou même de souffle froid, on peut affirmer sans crainte qu'elle est toujours l'indice d'un bon fonctionnement de la zone qui l'émane.

L'influx pranique et, d'une façon plus globale, la Force Vitale première telle qu'elle peut se percevoir dans notre monde, se manifestent par une brise fraîche semblable à un agréable souffle printanier.

Nous insistons sur le fait que toutes ces indications ne doivent vous servir que de point de repère. En effet, il n'est pas deux êtres ayant exactement la même approche du phénomène. Il appartient de ce fait à chacun de se tester soi-même et de savoir, à la longue, quelles sont les manifestations significatives qui s'imposent à lui.

Ici prend fin la première phase d'approche et de dépistage de la sensibilité personnelle.

La palpation éthérique

Le second stade consiste, lui, en une palpation éthérique. Celle-ci doit s'effectuer non plus sur les chakras majeurs mais sur l'ensemble du corps. Elle permet de se rendre compte, autrement que visuellement, de la réalité bien tangible du double éthérique d'un organisme. Cette palpation ne met pas en action de méthode, à proprement parler. Sa maîtrise est uniquement une question de pratique et ne fait appel qu'à la capacité d'écoute et d'attention qui réside en chacun de nous.

Elle consiste à approcher la main au-dessus d'un point du corps fortement dynamisé (par exemple le foie ou la rate) et de faire varier la hauteur de cette main sur une distance pouvant aller de deux à dix centimètres par rapport à l'épiderme. Son but est de ressentir le plus précisément possible la réalité de l'aura vitale. On doit réellement être capable de la *palper*, c'est-à-dire d'en capter la radiation et d'en apprécier l'épaisseur, la densité. C'est une sensation analogue à celle produite par un bain moussant lorsque l'on effleure de la paume les minuscules bulles de celui-ci à la surface de l'eau d'une baignoire.

Cette possibilité de palpation nous semble importante dans la mesure où elle entre en action au cours d'une des méthodes de soin qui seront abordées plus loin.

Petit à petit vous tenterez de capter ainsi la radiance vitale issue de toutes les parties du corps. Il est souhaitable que vous parveniez enfin à ressentir les différences de potentiel énergétique existant d'un organe à l'autre. Cela peut aller jusqu'à la perception de leur forme et de leur masse. Cette capacité vous permettra de vous rendre compte d'une façon autre, de l'état de santé éthérique d'un corps.

Un peu de pratique vous fera ensuite aisément comprendre que si vous tentez d'établir de cette façon une sorte de diagnostic vous n'aurez pas réellement à guider votre main d'un organe à l'autre. La supra-conscience, pour peu que vous appreniez à la laisser s'exprimer, sait d'emblée comment et où votre main doit se diriger. C'est en ce sens qu'il ne faut rigidifier aucune façon de procéder ou encore moins succomber à une technique. Toute routine serait rapidement sclérosante.

Bien qu'à cette phase de travail l'acte de soigner ne soit pas encore abordé, c'est toujours l'amour de l'autre et de la vie qui doit servir de guide. Tant que cette vérité ne sera pas ancrée en vous, les gestes accomplis demeureront de simples exercices systématiques, presque rituelliques... et c'est justement loin d'un rituel ou d'une sorte de mécanisation que nous devons progresser.

Même lorsque vous aurez entrepris un travail de thérapie à proprement parler, ne négligez pas le fait de revenir régulièrement sur ces exercices. Leur répétition patiente affinera sans cesse vos capacités de réceptivité. Vous devez, à la longue, être capable de percevoir le « niveau » de santé des organes, leur hyper-dynamisation ou leur déficience, par exemple en multipliant les tests à l'aide de votre main. La tâche la plus délicate reste sans doute de « s'étalonner » soi-même. Sachez néanmoins qu'une palpation éthérique ne vous donne qu'une information générale. Elle vous indique difficilement sur quel plan, par exemple, un trouble a pris naissance. Elle fournit simplement le signe que la disharmonie a atteint le double vital et a donc une répercussion dans le physique.

Faites bien, enfin, la différence entre ce type de palpation et le repérage de votre propre zone d'activité qui, elle, entrera véritablement en fonction durant le soin

CHAPITRE XIII

L'écoute intérieure

Tout au long de cet ouvrage nous avons beaucoup employé le mot « harmonie ». Plus que jamais nous resterons dans son registre en abordant maintenant le concept de la « mélodie des corps ». Nous avons longuement vu qu'un être ou qu'un organe sur tous ses niveaux d'existence est semblable à une véritable palette de peintre et qu'il joue constamment des sortes de « symphonies colorées ». Une couleur est un son — ou plutôt un son engendre une couleur — c'est un fait désormais accepté. Les textes sacrés des grandes Traditions ont été les premiers à annoncer la primauté du son. De toutes les manifestations de la Vie, le Verbe, l'onde sonore, a été la source. Le « reste » n'est jamais que le fruit d'une série de réactions en chaîne. Remonter l'échelle des phénomènes conduit donc nécessairement celui qui s'interroge aux portes d'une certaine musique et à la recherche du Son secret... et sacré.

Dans le cas qui est nôtre, entrer en communication profonde avec un être revient à savoir aussi se mettre à l'écoute du chant de son âme et de ses cellules. Cette affirmation ne relève pas d'une figure de style, elle énonce une vérité très concrète. De la même façon qu'un être, quel qu'il soit, diffuse toute une gamme de nuances colorées subtiles, il émet une série de sonorités simultanées d'où naît une mélodie ou plutôt un accord musical parfois complexe. La beauté et la santé d'une aura iront évidemment de pair avec un flot sonore agréable à l'écoute.

En résumé, chaque organe d'un corps donne naissance à une note qui lui est propre et qui va s'adjoindre à celle de l'organe voisin. Si l'équilibre et la santé produisent le son juste, la maladie, le trouble faussent immédiatement celui-ci. Ainsi, un organe disharmonieux par rapport à l'ensemble d'un corps va-t-il en détruire la mélodie en y apportant une fausse note. On pourra dire alors que quelque chose dans l'être « sonne faux ». Dans ce cas, il n'est pas vain de comparer la tâche du thérapeute à celle du musicien qui tente de réaccorder un instrument. Le médecin de l'âme et du corps va agir exactement comme le guitariste qui progressivement retend ou détend les cordes de son instrument. La technique qu'il a apprise au préalable va, là aussi, être reléguée au second plan car il travaillera très vite avec son ressenti, avec son oreille affinée, en définitive avec son cœur.

Tout est contenu là. L'œuvre du thérapeute consiste à réaccorder les corps ou les organes dissonants.

Percevoir la fausse note est un travail éminemment délicat mais c'est aussi un projet auquel nous vous convions car il est un véritable maître dans la quête d'une communion avec celui qui souffre.

Écouter un corps malade, c'est d'abord ne plus s'écouter soi-même, c'est-à-dire, avant tout, stopper la ronde de nos cogitations chroniques. Il faut donc pour cela, plus profondément encore que pour la lecture des auras ou la palpation éthérique, faire éclore le silence en soi, ainsi qu'une grande quiétude d'esprit. Ne placez pas cela nécessairement loin de vos capacités. Il est des êtres qui, s'ils chutent aisément sur des perceptions de type lumineux, ont de réelles facilités à communiquer avec le monde sonore.

L'œuf de silence

Après avoir déjà établi le contact avec l'autre au moyen des méthodes indiquées précédemment, efforcez-vous par conséquent d'installer petit à petit un plus grand silence en vous, un silence tel que vous ayez l'impression que celui que vous voulez aider et vous-même êtes isolés du reste du monde dans une sphère de lumière. Vous devez créer, pour ce faire, un véritable sanctum, une bulle de paix par l'interaction de votre cœur et d'un élan de force profonde. C'est dans un semblable univers que tout le futur travail de guérison s'opérera. Cet univers ne sera pas simplement intérieur; la bulle de lumière sera bel et bien tissée par la force volontaire de votre amour. Cette tâche de confection d'un cocon de lumière peut d'ailleurs être abordée en dehors de la relation avec autrui par le soin. Son apprentissage peut s'effectuer seul ou dans les multiples circonstances de la vie. Il s'agit, au départ, d'une mise en application des capacités de visualisation qui demandent un certain effort; cependant, bien vite, le mécanisme peut s'opérer de lui-même sans que la réflexion ait à intervenir. Dans les premiers temps, afin que la conception en soit facilitée, il est assez aisé d'entreprendre la visualisation de l'œuf de paix à partir d'une fontaine située au sommet du crâne et dont les rais de lumière arrosent, en retombant, l'ensemble du corps. La fontaine représente évidemment ici le chakra aux mille pétales dans une action tout à fait concrète

L'écoute du son

Vous voici donc placé aux côtés de l'être que vous voulez aider. Vous vous êtes harmonisé avec le taux vibratoire de son organisme puis vous êtes entré en communication avec ses différents chakras. Peut-être, enfin, avez-vous pu remarquer des troubles à l'issue d'une palpation éthérique? Si tel est le cas, vous venez de tisser votre cocon de silence. C'est au cœur de celui-ci que votre action va dorénavant se passer. La main tendue au-dessus de l'organe déficient, à une hauteur correspondant à votre zone d'activité, commencez à écouter intensément ce qui se produit en vous-même... car en réalité le silence que vous avez perçu jusque-là est illusoire. C'est un silence terrestre au fond duquel tente de s'exprimer une force. Dans le creuset de votre être, vous percevrez d'abord une sorte de petit bourdonnement ou de sifflement, tel celui d'une minuscule centrale électrique qui ira croissant à mesure que vous en prendez conscience et que vous développerez une onde d'amour. Il s'agit du chant du prâna dans les réseaux de communication de votre corps subtil. Plus votre paix sera profonde, plus ce chant sera puissant et cristallin, comparable à celui des cigales. Vous vous rendrez compte alors que ce son n'est pas unique mais qu'il est une harmonique « en expansion ».

Le but ne réside pourtant pas dans le fait de s'appesantir sur cette mélodie. Vous devez vous efforcer de laisser croître, comme en surimpression, un autre son, totalement différent, un son extérieur à celui du prâna et qui résulte de la communication avec l'être allongé devant vous. Un tel son vous semblera sans doute un peu plus grossier ou du moins plus « palpable ». Il vous est en quelque sorte envoyé par la partie de vous-même qui demeure perpétuellement supra-consciente. Il s'agit de la tonalité qui devrait être émise par l'organe situé sous votre main si celui-ci était en parfaite santé.

L'apprentissage de cette perception ne s'obtient évidemment pas d'emblée et nécessite une certaine qualité d'écoute à cultiver en soi. Cependant son développement est beaucoup moins hors de la portée de chacun qu'il n'y paraît au premier abord. Le succès de la démarche réside en grande partie dans le fait de ne pas chercher à localiser intérieurement une tonalité faisant intervenir la volonté personnelle. Ici, il n'y a pas à vouloir; il faut tout simplement « s'ouvrir l'âme » et laisser parler ce qui demande à s'exprimer. Encore une fois point de technique proprement dite, point de recette absolue.. ce qui est un grand bien car ce n'est pas la notion de capacité qui doit éclore mais celle de connaissance. La recherche d'une capacité ou d'un pouvoir n'est jamais que celle effrénée d'un savoir extérieur à l'être, alors que la quête de la connaissance est celle d'une retrouvaille avec une lumière intérieure.

Ainsi, ne désirez pas le son, laissez-le poindre. En réalité, si vous ne parvenez pas encore à le capter, ce n'est pas qu'il ne se manifeste pas, c'est qu'il vous faut encore un peu vous diriger au cœur de vous-même. Le mécanisme de ce centrage n'est pas complexe; ce qui l'est, c'est la manie humaine de vouloir passer le monde au crible du mental. Votre tâche sera donc de réapprendre la simplicité et non pas de la fabriquer artificiellement par une réflexion, même métaphysique. L'état d'éveil d'un thérapeute authentique tient à cette redécouverte.

Tout comme pour les chakras, il existe des ouvrages reproduisant « la carte sonore » du corps humain. Sur ceux-ci, telle zone du corps, tel chakra ou encore tel organe est assorti d'une note précise. Il ne semble pas que ces livres, au demeurant fort intéressants, puissent être ici d'une réelle utilité. La vérité est qu'il vous faut agir en musicien intuitif plutôt qu'en théoricien ou technicien.

Peu vous importe de savoir sur quelle gamme se situe le son que vous captez, ni même de quelle note précise il s'agit. L'essentiel est que cette émanation puisse s'exprimer au fond de vous-même.

L'éveil d'une telle qualité d'écoute représente le dernier outil qu'il convient, à notre sens, de faire germer avant d'aborder réellement le soin.

CHAPITRE XIV

Soigner par la lumière

Lorsque l'harmonie est établie entre l'autre et vous-même, lorsque la palpation éthérique, le repérage des chakras et enfin la découverte du son ont été faits, vient le moment où peut s'exprimer à travers vous la force du Don.

Il est évident qu'à l'issue de l'approche multiple de l'être malade abordée jusqu'à présent, le rythme vibratoire de votre corps doit s'être modifié. Il doit être passé à une « vitesse supérieure ». Ce faisant, il devient la zone d'échange privilégiée entre l'esprit et la matière, entre l'eau et le vase qui se plaint d'être vide.

Première méthode

La première façon de procéder peut être appelée *l'extraction éthérique* . Elle consiste à extraire momentanément du corps vital la contrepartie éthérique d'un organe malade puis à lui insuffler toute la Lumière et tout l'Amour possibles.

On comprend mieux ici l'importance de ce qui a été dit à propos de la palpation éthérique. En effet on ne saurait agir en conscience dans ce type de soin que si l'on a auparavant appris à établir un contact avec l'énergie vitale du corps malade.

Le travail se résume en une sorte d'aspiration ou d'aimantation de l'organe éthérique disharmonieux par la force éthérique de votre propre main.

La paume étendue au-dessus de la zone du corps désorganisée, essayez d'intensifier la perception subtile de l'enveloppe vitale. Lorsque celle-ci devient suffisamment intense, opérez à l'aide de la main de très légers mouvements du bas vers le haut et du haut vers le bas tout en cherchant progressivement à éloigner cette main de l'organisme situé sous elle. Si, pendant ce temps, une tierce personne venait à effectuer une lecture d'aura simultanément sur vous et la personne soignée, elle constaterait la création d'un pont éthérique important entre votre paume (ou votre poignet) et l'organe choisi, jusqu'à créer une sorte de boursouflure éthérique au niveau de celui-ci puis jusqu'à son dégagement complet au sommet de cette boursouflure.

Lorsque cette phase d'aimantation est achevée (il suffit d'extraire la partie à soigner d'une dizaine de centimètres), commence le soin proprement dit.

Laissez pénétrer en vous, si possible par le sommet du crâne, le souffle de Force cosmique, ou l'Énergie divine et guidez-le jusqu'à votre main en le faisant passer par votre cœur. Le cœur sert ici de relais important; à son niveau va se joindre à la Force cosmique, l'Energie tellurique, le côté féminin du Flux divin. Le cœur devient alors une véritable centrale énergétique, il se métamorphose en un soleil d'amour; il sera toujours le guide infaillible de la main, le point par où la transmutation de l'ombre en lumière pourra s'effectuer. C'est donc l'Amour à l'état pur qui doit cheminer de lui jusqu'au creux de la main. Apprenez à sentir son flot coulant à travers votre bras lui-même. Apprenez cela mais ne centrez pas votre attention vers la recherche de cette perception. Une préoccupation d'ordre mental, nous l'avons dit, joue toujours un rôle de décélérateur ou de polluant.

Ces instants doivent être considérés comme véritablement sacrés et tenter de les analyser intérieurement pendant que l'action est en cours, c'est déjà en briser toute la beauté et la force. Même si dans ces minutes de paix vous vous sentez canal de la Grande Lumière, ne vous percevez pas extérieur à elle. Il faut s'efforcer de ne jamais devenir spectateur de l'onde soignante, mais d'être le soin lui-même. Ce processus d'identification au baume réparateur revêt une grande importance. Efforcez-vous de bien le vivre. Ce n'est pas votre ego inférieur qui peut et doit se sentir investi d'une force de Lumière. Cette partie de vous-même est au contraire annihilée ou, si l'on préfère, sublimée pendant le soin. Vous ne pouvez plus alors vibrer selon le mode d'existence de cet ego.

N'ayez surtout pas la volonté d'imposer au corps et à l'être « votre guérison » ou « votre paix » car jamais la recherche d'harmonie et de santé ne va dans le sens d'une « direction » des événements. Elle laisse simplement s'exprimer la Force divine, polarisée au mieux, en un point donné.

La méthode de l'extraction n'est à effectuer ni au niveau de la tête ni à celui du cœur. Ce détail est à respecter impérativement.

Seconde méthode

La seconde méthode que nous aborderons maintenant peut être appelée *l'incision éthérique*. Elle consiste à pratiquer momentanément une brèche dans le corps éthérique, brèche par laquelle on s'efforcera d'insuffler l'Énergie de Vie au cœur même de la zone malade.

Cette façon de faire nécessite un plus grand affinement des perceptions du bout des doigts de la main. Celui-ci, par une démarche intérieure, ne doit plus être réellement sensible à un toucher d'ordre physique mais vibrer de façon plus éthérée. Lorsque l'on parvient à cet état d'être, l'extrémité des doigts peut donner une impression d'engourdissement.

La première phase de cette méthode se résume à la création d'un renflement sur la peau en joignant les deux pouces, ongle contre ongle, et en les frottant assez énergiquement sur la peau elle-même et cela sur une longueur d'une bonne dizaine de centimètres au niveau de la zone dissonnante. C'est la légère irritation de l'épiderme qui crée spontanément la boursouflure éthérique. Au bout de quelques secondes, le travail consiste à saisir, entre le pouce et l'index des deux mains, le « sommet » du renflement et à écarter celui-ci de droite et de gauche afin d'y faire naître (éthériquement bien sûr) les deux lèvres d'une ouverture.

La seconde phase du soin demande à ce que l'on introduise dans cette ouverture subtile le pouce, l'index et le majeur de la main active réunis comme pour produire un seul faisceau de lumière. Cet acte s'effectue dans une zone allant généralement de deux à cinq centimètres au-dessus du corps physique; le faisceau régénérateur qui naît au bout des trois doigts acquiert spontanément une belle coloration verte. Il est possible de renforcer son action en tentant de le visualiser. Nous ne conseillons cependant ce travail de visualisation que s'il s'avère aisé. S'il demandait un effort de concentration mieux vaudrait en abandonner l'idée, car cela constituerait un élément de distraction.

Une fois le soin achevé, on n'omettra pas de refermer la plaie éthérique en ramenant ses deux lèvres l'une vers l'autre à l'aide de la main puis en effectuant avec celle-ci quelques mouvements parallèles au corps au-dessus de la zone concernée (dans le sens, apaisant, de la tête vers les pieds).

Cette méthode peut évidemment sembler complexe et étrange. Elle a très longtemps été pratiquée par les thérapeutes des peuples d'inspiration solaire. Les gestes sur lesquels elle se base sont, en vérité, plus simples qu'ils ne le paraissent au premier abord. On les maîtrise assez aisément ; la seule difficulté, ici comme précédemment, est de bien ressentir le contact avec l'éthérique.

La méthode de *l'incision éthérique* n'est pas à effectuer lors d'une inflammation ou d'une fracture.

Troisième méthode

La dernière méthode que nous aborderons maintenant s'annonce, quant à elle, beaucoup plus simple. Nous la conseillons essentiellement en tant qu'auxiliaire finale des deux premières.

Elle consiste à placer la main active largement ouverte directement sur la peau au niveau de la zone disharmonieuse tandis que l'autre est placée sur la colonne vertébrale en contact avec le chakra régissant le point en question, elle aussi à même la peau. Cette pratique a pour but, à travers le corps du thérapeute, de faciliter la circulation de l'énergie réparatrice entre le point dissonnant et son plexus directeur.

La durée du soin

Une question vient inévitablement à se poser à l'apprenti thérapeute : quand peut-on considérer qu'un soin est achevé ?

Avec un peu de pratique chacun comprendra qu'il n'y a pas de règle précise dans ce domaine. C'est avant tout une question de perception personnelle. « Quelque chose » au fond de l'âme « sait » lorsque le dépôt est accompli.

D'une manière plus tangible on peut dire aussi que lorsque le soin est effectif et agissant, toute sensation de chaleur ou de picotement laisse place à un dégagement de fraîcheur au niveau de la main. C'est un petit indice sur lequel il est facile de se baser. Il procure toujours la preuve qu'une circulation d'énergie a pu être établie.

Vers une démarche plus large

De toutes les méthodes abordées jusqu'à présent il ne faudrait surtout pas conclure que seule la main, dans un corps, est en mesure de procurer à autrui soulagement et guérison. Il nous semble que le but ultime de celui qui souhaite forger son âme dans cette voie est de transmuter progressivement l'ensemble de son organisme afin que toutes ses cellules, sans exception, soient porteuses de vie. C'est un idéal qui, à première analyse, peut paraître surhumain, mais il faut bien s'imprégner du fait que toute la démarche spirituelle vise à cette avance vers le surhumain ou le supra-humain. Un tel type de conscience et de réalisation ne nous semble d'ailleurs pas mériter d'autre appellation que celle d'Humain. En effet, il n'est jamais question de se projeter vers une autre réalité en niant ou en fuyant les limitations de ce monde, mais en brisant plutôt les multiples coquilles du quotidien qui nous empêchent de nous re-connaître. L'Hyper-conscience, l'Essence de Vie sont contenues tout entières derrière le masque de ce que nous dénommons tristement « réalité ».

En toute humilité sachons donc ne poser aucune limitation à la quête qui est nôtre.

Prenons conscience que l'homme doit pouvoir, tout aussi bien qu'avec la main, prodiguer le soin avec le regard ou avec un mot, c'est-à-dire en fait avec une simple caresse d'âme à âme, pour peu qu'il ait ensemencé sa conscience d'Amour vrai.

De même que chacune de nos cellules peut être un œil à elle seule, elle doit apprendre à devenir un cœur aimant à part entière.

On doit comprendre enfin par ces mots que le type d'énergie dégagée par l'aura du thérapeute doit être au nombre des forces de réajustement. C'est donc l'être intégral qui opérera le travail de transmission que représente le soin ; les gestes techniques se réduisent alors à des éléments de discipline personnelle, en définitive à des supports.

CHAPITRE XV

Soigner par le son

Au cœur même de tous les éléments de soin qui viennent d'être abordés prend maintenant réellement place le problème du son.

Nous avons vu, dans un premier temps, comment le percevoir intérieurement; il faut dorénavant dépasser ce stade en s'efforçant de l'émettre. Le son en effet nous paraît être un allié fondamental dans la tâche de réharmonisation de l'être. C'est un élément reconstructeur, régénérant, et il a l'avantage de laisser immédiatement son empreinte dans la conscience de celui qui le reçoit, induisant ainsi l'accès à un monde de paix.

Un triple aspect

L'émission d'un son ayant ici les qualités mélodiques d'un chant, revêt une triple fonction.

Elle va d'abord modifier l'ambiance de la salle de soin. Cela ne s'effectue pas à un simple niveau subjectif mais s'opère au niveau des émanations subtiles de tout ce qui s'y trouve. A ce titre, le son agit de façon analogue à un bon encens car il élève le rythme vibratoire d'un lieu et l'assainit en profondeur. Le lieu est ainsi rendu «porteur» de l'onde réparatrice que l'on essaye d'y développer. Il amplifie également le côté sacré du travail de guérison puisqu'il est un reflet humain du Verbe créateur.

Cela nous amène tout naturellement à sa seconde fonction. C'est celle d'un apaisement procuré, souvent rapidement, à celui qui reçoit le soin. Si l'apaisement n'est pas à proprement parler physique, il peut être au moins celui de l'âme, c'est-à-dire qu'il crée une détente intérieure. Il demande à la conscience de se déconnecter de ses points de crispation et d'accepter plus facilement, ne serait-ce que le temps du soin, une autre façon de vivre.

La troisième fonction du son est celle d'être un élément très actif dans le travail de thérapie. La mélodie qu'il faudra s'efforcer de faire jaillir de soi doit servir de véhicule à une onde de Vie venant s'ajouter à celle dispensée par les mains. Elle joue donc un rôle d'amplificateur ou encore d'accélérateur. On comprend qu'il sera important qu'elle soit le plus juste possible par rapport à ce qu'il y a à « réaccorder » dans le corps et aussi très spontanée pour préserver toute sa pureté.

Sa nature

Quel est-il, maintenant, ce son et comment l'émettre ? Ce n'est pas le AUM des Orientaux bien qu'il s'en rapproche à certains égards ; c'est celui du M que l'on peut associer à la troisième manifestation de la Tri-unité divine et que les Chrétiens appellent Esprit-Saint.

Mais le chant du M c'est d'abord celui du « aime ». Nous voulons signifier qu'il doit nécessairement engendrer la vie par ce qu'il y a de plus profond dans le cœur de l'être et non par le mécanisme d'une démarche mentale.

En effet, comprendre mentalement la fonction du M va conduire immédiatement celui qui l'émet à le « nasaliser ». Cela est bien significatif d'un processus intellectuel dont il faut se garder ici.

Le son qu'il faut s'efforcer de dégager de soi prend sa source dans la région de l'ombilic. Nous voulons bien sûr parler de l'énergie qui le pousse à jaillir au niveau des cordes vocales. C'est par conséquent un son qui vient des racines de l'être. Dans son influx premier, ce n'est pas la résultante d'un travail de la gorge, de la langue ou du palais.

On nous objectera que le M étant une consonne nasale on ne pourra le prononcer que si les fosses nasales interviennent un minimum dans son émission.

La réponse tient dans le fait que le son M est beaucoup plus appelé et pensé dans le cœur de celui qui le chante qu'entendu véritablement en tant que tel par celui qui le reçoit.

Il va se présenter en fait telle une espèce de bourdonnement ou de souffle profond que la raison seule ne peut comprendre comme un M.

Son émission

Voici quelques conseils qui pourront vous permettre de mieux le concrétiser dès que vous serez parvenu à l'entendre intérieurement. Il importe d'abord que vous preniez largement votre inspiration par le nez et non par la bouche. La polarisation de l'air est différente et éveille mieux les plexus du corps. La seconde phase de l'émission nécessite une légère contraction des muscles de l'abdomen et du diaphragme. C'est cette action qui va vous servir à propulser l'énergie vers le haut. Cependant votre langue sera repliée vers l'arrière de la bouche, extrémité dirigée vers le haut; une cavité se crée ainsi dans l'arrière-gorge. Les lèvres doivent impérativement demeurer entrouvertes, faute de quoi le son sera obligatoirement nasalisé.

La troisième phase concerne le déploiement du souffle. Il ne doit pas faire l'objet d'un effort ou d'une tension de votre part. Il devra plutôt laisser en vous l'impression d'un serpentin de lumière qui se déroule harmonieusement et surtout très régulièrement, sans à-coups.

Le chant que vous allez exprimer ainsi doit, dans l'idéal, se poursuivre pendant toute la durée du soin, il doit être aussi, répétons-le, la reproduction la plus fidèle possible de la tonalité réclamée par la zone déficiente.

Si vous constatez que l'émission du M déclenche en vous une crispation et aussi une constante surveillance de votre volonté, ne l'utilisez pas; travaillez lorsque vous êtes seul jusqu'à ce qu'elle devienne un mécanisme naturel Un tel son doit constituer quelque chose d'agréable à émettre et à entendre. Si l'on se fait violence pour le reproduire, mieux vaut en abandonner l'idée jusqu'à ce que quelque chose ait mûri en soi.

Se contraindre à chanter le M nuirait de toute évidence au soin, cela parasiterait le canal que l'on s'efforce d'être.

Après un certain temps de pratique et tandis que vous l'émettez, il est possible que vous sentiez en vous, à un moment donné, la nécessité de le modifier légèrement. Laissez-vous aller à cette sorte d'intuition, elle correspond à une demande de l'organe malade. Plus ce travail sonore vous sera devenu familier, plus vous aurez la sensation que tout autant qu'un souffle, c'est un faisceau lumineux qui sort de votre bouche.

Spontanément vous éprouverez alors le besoin de diriger ce rayon de lumière vers la zone souffrante et d'opérer ainsi sur elle une sorte de « balayage ».

Au bout de quelque temps, vous constaterez que votre voix « s'étoffe » et il se pourrait même que des harmoniques naissent spontanément à travers l'émission du M. Le travail n'en sera alors que plus puissant.

Il faut toutefois éviter de rechercher comme un but l'effet sonore esthétique. Celui-ci est tout à fait secondaire et ne détermine en rien la qualité du soin.

Cette recherche d'esthétisme ou de spectaculaire constitue un piège dans lequel il est aisé de tomber surtout lorsque l'on est plusieurs dans le même lieu à travailler de cette façon. Vous pouvez bien évidemment vous faire aider d'amis pour l'émission de la tonalité de guérison. Ces auxiliaires s'efforceront alors de modeler précisément leur chant sur le vôtre. La mélodie que cela peut entraîner doit cependant toujours naître spontanément. C'est un gage de sa fraîcheur et de sa force.

Un silence d'or

A l'issue d'un soin, lorsque le son s'éteindra de lui-même à la racine de votre être, emplissez-vous de la qualité de silence qui prendra alors possession du lieu où vous êtes. Ce silence est particulièrement constructeur et incite à un ultime état de prière. Il fait éclore incontestablement quelques secondes privilégiées où la vie des êtres et des « choses » devient mille fois plus tangible. Conservez-en la présence en vous. C'est l'instant sacré où l'on s'efforcera de remercier l'Auteur réel du soin. Peu importe le nom que vous lui donnerez, peu importe aussi que vous ne parveniez pas à lui en donner. L'essentiel reste de s'adresser à cet incroyable Océan d'Amour que, de toute façon, aucun langage humain ne saurait définir. Ne voyez pas dans cette pratique de remerciement une formalité ; au contraire, sa spontanéité attestera que « quelque chose » en vous a bien compris le caractère suprême de l'Énergie présente.

L'utilisation du Son telle qu'elle est souhaitée dans ce chapitre produit bien souvent un effet d'étonnement sur celui qui reçoit le soin. Il peut arriver même que cet étonnement déclenche une sensation de malaise ou d'inquiétude. Cela est consécutif au fait qu'il touche à une « corde » profonde de l'individu, empruntant ainsi des sentiers peu fréquentés.

En fonction de la sensibilité et du psychisme de la personne que vous allez aider, il vous appartiendra de savoir si l'utilisation du M est souhaitable ou non.

En cas de doute il vaudra mieux vous abstenir car susciter un malaise c'est ériger un rempart qui rendra l'autre imperméable au soin. Or, souvenons-nous-en, la première chose à développer puis à maintenir c'est un courant d'harmonie entre l'autre et vous. La confiance qui doit s'en dégager sera toujours un vecteur essentiel de l'onde de guérison.

Nous ne voulons pas dire pour cela que celui qui reçoit le soin doit nécessairement croire en la réalité des forces en présence ; nous estimons seulement qu'il ne faut rien manifester qui puisse heurter un psychisme au point que celui-ci érige une véritable barrière mentale.

CHAPITRE XVI

Quelques soins spécifiques

Dans le cadre de la guérison spirituelle, nous avons jusqu'à présent esquissé de grandes lignes susceptibles de « mettre sur la voie » quiconque veut entreprendre une démarche. Pour celui qui en comprend l'essence plutôt que la faiblesse de vocabulaire, ces grandes lignes devraient suffire. Néanmoins, quelques maladies méritent qu'on s'attarde tout particulièrement sur la façon de les aborder.

Le cancer

Parlons tout d'abord du cancer car celui qui se consacre aux soins se trouve tôt ou tard face à une grave disharmonie de ce type. Il faut d'abord savoir qu'un cancer procède d'une rupture de contact entre l'être profond et l'être de surface ou si l'on préfère entre le corps et l'esprit. Les liens qui unissent ces deux principes se distendent pour une raison X et le courant vital ne circule plus comme il le devrait. C'est le désaccord de la vie avec elle-même au cœur d'un indidivu. Cette perte d'harmonie n'est pas nécessairement la preuve d'une faute ou d'un manque de pureté à un certain niveau. Chaque cas est particulier et ne peut se comprendre réellement que par la connaissance de la longue histoire de la vie d'une âme.

Disons, pour simplifier et de façon imagée, qu'un être qui se « coupe les vivres » consciemment ou non amorce en lui le processus du cancer. Au niveau de l'aura cela se constate par un affaiblissement assez net du septième chakra ou par un assombrissement considérable de son rayon lumineux et simultanément par une fermeture du corps aux énergies telluriques.

Cette fermeture aux forces de base se manifeste, rappelons-le, par l'apparition de « nuages » très foncés le long des deux jambes.

L'organisme se trouve alors à un point de rupture entre le haut et le bas.

Le travail du thérapeute sera donc de réensemencer le terrain représenté par le corps afin que celui-ci devienne à nouveau le lieu d'échange et d'équilibre des différents courants de vie.

Dans l'optique du type de soins que nous suggérons ici, il nous paraît tout d'abord souhaitable d'entreprendre un travail de fond sur l'organisme avant même de songer à un apport d'énergie ponctuel.

La tâche essentielle va consister à réénergétiser le sommet du crâne et le bas du corps (par l'intermédiaire de la plante des pieds et des talons). Pour ce faire, on posera simplement les mains sur ces deux points du corps. Plus que jamais on s'efforcera alors d'être le fil conducteur de la Grande Force d'Amour, de se faire l'outil par lequel elle va à nouveau pouvoir inonder l'ensemble de l'organisme. Il faut réouvrir les portes qui se sont fermées.

Vous pourrez entreprendre ce travail avec le concours

d'une tierce personne; l'une se placera à la tête, l'autre aux pieds du malade (lequel aura, bien sûr, les pieds nus).

Cela représente le seul cas où il s'avère souhaitable d'agir conjointement, c'est-à-dire en duo, par un contact direct avec le corps du malade.

Dans tous les autres cas, il est fortement conseillé à celui qui prend l'initiative du soin d'être le *seul* à toucher ce corps. Les personnes éventuellement présentes se contenteront d'apporter toute la force de leur amour à la sphère de Paix et de Lumière tissée entre le thérapeute et le malade.

Ce travail de revitalisation par le haut et le bas du corps doit avoir pour effet de proposer à l'être de nouvelles cartes qui vont lui permettre de rétablir plus aisément sur un plan subtil ses circuits de vie fondamentaux. Il s'agit donc principalement d'offrir un matériau régénérateur plutôt que d'apporter la guérison. L'être atteint d'un cancer reste, en définitive et malgré certaines apparences, seul maître de la disharmonie. C'est sa volonté intime de vie qui disposera du don qui lui est fait. Une telle affirmation n'a évidemment de signification que si le cancer n'a pas de racines karmiques. Rappelons tout de même qu'il existe beaucoup moins de « cancers karmiques » qu'on ne le suppose généralement...

Dans tous les cas de cancer il faudra proscrire la pratique de l'incision éthérique sur la zone atteinte. Tout au plus pourra-t-on tenter une extraction subtile de celle-ci et seulement si l'on sent la Lumière fortement présente au fond de soi.

En écrivant ces lignes, nous voudrions cependant bien faire comprendre que dans des cas aussi douloureux que celui d'un cancer, il faut agir avec beaucoup d'humilité et aussi de modération. Ainsi, le concours d'un médecin ne sera surtout pas à rejeter. Il ne suffit pas de souhaiter véhiculer la Lumière pour savoir porter celle-ci jusqu'à l'intérieur même des corps. *Il faudra donc veiller à ce que la confiance absolue que l'on peut mettre en la Force divine ne déclenche pas en nous une forme d'orgueil et d'inconscience.* Ne perdons jamais de vue qu'en matière de soins spirituels nous sommes tous des élèves et qu'il y a des cas où nous ne pouvons nous permettre d'erreur ou de superficialité.

L'idéal serait évidemment de pouvoir travailler conjointement avec un médecin. Dans le cas d'une chimiothérapie déjà entreprise, sachons qu'il est très possible par la force de l'Amour dirigée de façon appropriée de supprimer ou de diminuer considérablement tout effet secondaire et de hâter le rétablissement.

Pour conclure ce sujet, précisons que cette maladie signale par excellence un conflit de l'être vis-à-vis de lui-même et que, par conséquent, rien en dehors de lui ne peut l'en dégager réellement. En effet, si les moyens de la médecine moderne permettent de l'enrayer sur un organisme physique, la source même du cancer — la rupture des énergies complémentaires — persiste toujours sur un plan subtil ; elle est déplacée, reportée et risque donc de réapparaître sous une forme ou sous une autre dans cette vie ou dans une autre.

De ce fait, afin d'éviter un tel report, le thérapeute vrai devra en même temps qu'il soigne le corps, aider l'âme à accoucher de son propre problème ; il devra aider à la mise en lumière du nœud et faire prendre conscience de son processus au malade. Lorsqu'un enfant tombe, on doit bien sûr le panser, mais on peut aussi lui expliquer comment chuter moins souvent.

L'autisme

Quelques mots maintenant sur l'autisme. Bien qu'il ne s'agisse pas à proprement parler d'une maladie au sens commun du terme, il n'en est pas moins un trouble important de l'être, une fermeture de celui-ci à l'existence

L'autisme présente au niveau aurique un début de similitude avec le cancer, puisque, nous l'avons déjà signalé, les nadis des jambes n'assument plus réellement leur fonction; ils ne procurent pas à la partie supérieure du corps la nourriture indispensable du rayonnement tellurique. La similitude cesse cependant au niveau du septième chakra qui, contrairement au cas du cancer, est toujours très lumineux, exceptionnellement actif.

Il résulte de ces constatations qu'un enfant autiste présente une disproportion dans l'absorption des éléments subtils par son être. La logique conduira nécessairement le thérapeute à redynamiser très régulièrement le bas du corps par la plante des pieds puis aux plis de l'aine, en passant par les genoux. Ces deux dernières zones abritent des nœuds vitaux où les énergies éthériques ont tôt fait de stagner sous l'action de formes-pensées très implantées.

Une imposition des mains sera ensuite très utile, simultanément au niveau des deuxième et cinquième chakras. La main « active » devra se situer en contact avec l'énergie de ce cinquième chakra.

Ces éléments de méthode devront surtout être compris comme de précieux auxiliaires pour faire régresser l'autisme. En matière de soins spirituels, il n'y a de « remède-miracle » que dans la mesure où la qualité d'Amour développée se fait supra-humaine... ne serait-ce qu'un court laps de temps.

La grande fatigue

Quittons le domaine des troubles profonds pour aborder celui des soins à apporter en cas de sous-dynamisation d'un organisme.

Qui n'a jamais connu une fatigue intense ou prolongée? Qui ne s'est jamais trouvé face à un être ne parvenant pas à reprendre des forces après une période difficile?

La façon d'agir est relativement simple :

Une grande incision éthérique peut être pratiquée sur l'avant du corps, de la gorge au pubis, incision qui vous permettra de faire un dépôt de Lumière à l'aide du pouce, de l'index et du majeur réunis, puis, de la paume de la main, au niveau des centres de la gorge, du cœur et du bas-ventre.

Un travail de simple imposition des mains peut aussi être fait sur la rate. En effet, dans la majorité des cas de grande fatigue ou de fatigue chronique, la lecture de l'aura atteste une fuite énergétique dans la zone précise de cet organe.

Très souvent une fatigue prolongée prend sa source dans le domaine psychique de l'individu. Cela entraîne parfois une émotivité exacerbée, une nervosité certaine, des manifestations d'anxiété. Il est alors facile d'entreprendre un simple rééquilibrage des chakras qui donnera à l'être une force supplémentaire sur laquelle sa volonté personnelle pourra s'appuyer.

Celui à qui vous procurez de l'aide est allongé sur le

ventre. Après avoir localisé l'emplacement de chaque chakra, vous placerez à même la peau votre main active sur le sixième chakra tandis que l'autre ira se situer au septième, c'est-à-dire au sommet du crâne. Développez alors en vous et en l'autre une paix profonde, transmutez-vous en canal de Vie capable d'insuffler, par l'intermédiaire de vos mains, de véritables gouttes de cristal.

Puis agissez de même en descendant progressivement l'échelle des chakras. La main qui était en contact avec le centre coronal ira se placer au niveau du sixième plexus et celle qui était précédemment à cet endroit descendra vers le cinquième. L'acte de rééquilibrage se poursuivra ainsi jusqu'à la base de la colonne vertébrale.

Il est évident que le premier chakra étant essentiellement interne, on cherchera simplement à capter sa zone de rayonnement en maintenant la main active dans un rayon pouvant aller de dix à trente centimètres au-dessus du corps, cela approximativement dans la région du haut des cuisses.

Cela représente le seul travail que nous puissions conseiller au niveau des sept plexus majeurs. L'importance de ceux-ci est si grande quant au bon fonctionnement de l'équilibre du corps, qu'il est sage de ne pas entreprendre quoi que ce soit de plus dans ce domaine.

Cette harmonisation des chakras est également souhaitable chez les femmes enceintes qui commencent à présenter de réels signes de fatigue, de nervosité ou d'émotivité.

Notons au passage, à propos des femmes enceintes, qu'il faudra toujours éviter de pratiquer des incisions éthériques au niveau du ventre. On comprend aisément pourquoi.

Dans ce dernier cas, l'extraction éthérique d'une zone ou la simple imposition des mains sur un organe et son chakra directeur seront des supports de travail beaucoup plus doux et donc plus appropriés.

L'Amour transmutatoire

Pour une ultime compréhension de tout ce qui a pu être écrit précédemment et qui est relatif aux soins, il faudra retenir un point essentiel : c'est votre état d'être profond qui sera à jamais le garant de la force du travail entrepris. Cet état d'être, aussi cristallin que possible, représentera toujours le seul véritable maître à suivre. Votre but se résume tout simplement à savoir respirer l'Amour puis à l'exhaler.

Si les multiples détails contenus dans les lignes de ce livre s'enfuient de votre mémoire, peu importe. Ils n'ont d'autre utilité que celle d'être des guides d'un moment, des points de repère et des sensibilisateurs. Celui qui réapprend à « connaître » finit toujours par comprendre qu'une seul main posée sur un corps devrait pouvoir, un jour de grand Eveil, en dissoudre la douleur.

C'est de cette dissolution dont il faut bien saisir le sens. Elle ne signifie pas un anéantissement de ce qui est perçu comme étant le mal, mais sa transmutation, c'est-à-dire sa polarisation différente.

Comprenez bien que si vous ôtez la force disharmonieuse d'un corps au moyen de ce qu'on appelle habituellement des « passes magnétiques », l'« entité-maladie » particulièrement s'il s'agit d'un virus, poursuivra dans l'éther son existence déstabilisatrice. Que l'Amour que vous cultiverez en votre cœur soit donc l'agent de transmutation. Lui seul vous fera comprendre qu'après un soin il est illogique de secouer les avant-bras et les mains.

Il est temps, pensons-nous, d'être conscient du moindre de nos gestes. Est-ce réellement la tâche d'un thérapeute que d'enlever le mal (somme d'énergie à bas taux vibratoire) d'un corps pour qu'il aille se greffer sur un autre corps en état de faiblesse?

Nous ne parlerons pas des procédés qui consistent à dévier les troubles vers un minéral, un végétal ou un animal. Il relèvent de la plus pure inconscience ou d'un mépris total de ce qu'est la Force de Vie qui sommeille au fond de chaque élément de la Création et qui a droit à un égal respect, où qu'elle se situe.

Transformer l'ombre en lumière ne saurait faire l'objet d'une expérience de laboratoire. Cela ne peut être non plus le centre d'intérêt momentané d'un curieux, d'un papillon de l'Esprit...

C'est l'œuvre de toute une vie et tellement plus encore...

CHAPITRE XVII

Soigner la Terre

Nous nous sommes jusqu'à présent essentiellement préoccupés de l'être humain et nous avons vu que la majeure partie des maux dont il souffre tient à la nature de ses pensées et de ses émotions. Nous avons vu également comment un égrégore se constitue et quelle peut être son action au niveau de la vie subtile de la planète, que ce soit dans la lumière ou dans l'ombre. Nous ne saurions cependant conclure cette réflexion sans diriger notre esprit vers la planète Terre elle-même qui, tout autant que l'homme, ressent les agressions de la maladie du non-amour.

Car la vérité est là... nous ne sommes pas les seules victimes de notre incapacité à aimer réellement, c'est-à-dire simplement, sans arrière-pensée. Nous ne sommes pas non plus les seules victimes de notre inconscience ou de notre égoïsme. La planète entière reçoit les coups répétés de nos insuffisances. La Terre est un être avec ses multiples corps, ses organes et ses plexus, un corps lentement empoisonné par l'égrégore des pensées humaines débridées.

Ne soyons donc pas étonnés si nous la sentons

aujourd'hui malade. Les catastrophes écologiques ne sont que la manifestation la plus tangible et peut-être finalement la moins grave de cet état de fait. A l'heure actuelle, nous ne pouvons plus invoquer l'ignorance, tout au moins dans nos sociétés occidentales, où tant d'éléments d'informations et de réflexions sont à la portée de chacun.

Oserons-nous dire que nous n'y pouvons rien parce que nous n'avons pas de pouvoir décisionnel? Ce serait une lâcheté de plus ou la preuve que nous n'avons pas encore compris que, nous aussi, nous avons contribué à empoisonner l'aura de la planète par la petitesse de nos pensées.

Mais ces lignes ne veulent pas être porteuses d'un sinistre constat, celui d'un échec. Elles se veulent au contraire génératrices d'espoir car aucune ombre n'est trop épaisse pour ne pouvoir être gommée.

Ainsi chacun peut-il et *doit-il* devenir médecin de la Terre elle-même... et cela ne nécessite ni diplôme ni connaissance. Nous hésitons à dire qu'il faut simplement de la bonne volonté car la bonne volonté se voit trop souvent associée à la bonne conscience, une bonne conscience un peu semblable à la quiétude de ceux qui « sauvent leur âme» à l'issue de chaque cérémonie dominicale. Il ne s'agit pas de «cultiver le Salut» mais de faire fleurir la pureté, d'aider la planète à se laver de nos incongruités. Devenir des thérapeutes de la Terre, c'est aussi une façon de sortir de l'adolescence.

Déployer l'Amour, maîtriser nos pensées, tout cela est évidemment facile à dire ou à écrire... la seule «bonne volonté» ne suffit pas! Il faut plutôt la Volonté simple et une véritable prise de conscience du «pourquoi des choses». Ce sera le point d'ancrage de l'action.

La purification de l'aura planétaire commence par une

auto-discipline de chaque instant. Mais discipliner la sarabande de nos pensées, dompter notre façon d'être ne doit pas signifier agir en censeur vis-à-vis de nous-même. La censure est toujours répressive, elle culpabilise, incruste la notion de faute dans l'être profond. Il faut au contraire se décrisper l'âme et le corps. L'introspection ne doit pas se muer en auto-punition.

Aujourd'hui, le « péché » est mort. Il doit faire place à une attitude dynamique qui nous pousse à avoir le courage de nous regarder en face, sans honte, puis à agir afin de restaurer ce qui, en nous, s'est lézardé. Cette action n'est pas à entreprendre inspirée par les notions de Bien et de Mal issues de nos civilisations.

Rien ne sert de développer le sens de la thérapie, de vouloir soigner la Terre, les autres et soi-même simplement parce que l'on estime que cela est bien. Il faut agir dans la compréhension de la direction de la Vie, de celle du Grand Souffle Universel qui se passe de nom parce qu'il se situe au-delà des morales.

Cette prise de conscience et cette attitude intérieure sont assurément les premiers agents de guérison de la planète. Ceux-ci constituent la base de sa redynamisation. Le thérapeute de la Terre est identique à un bâtisseur de temple. Il sait que la construction sera vaste, qu'il doit rechercher solidité et beauté. C'est pour cela qu'il fouillera le roc afin d'y asseoir la bâtisse

Le thérapeute de la Terre sera donc en quête de son propre roc, derrière le masque de sa personnalité transitoire et des conventions sociales.

Cela résume le travail de chacun en lui-même.

Laver l'aura planétaire demande cependant conjointement une action de groupe. Ce sera le deuxième agent de guérison. Quand on connaît la force que peut déployer un seul individu par l'intermédiaire de ses émanations subtiles, on imagine aisément le mécanisme que peut enclencher la réunion de plusieurs hommes et femmes ayant une volonté commune.

Par conséquent, nous ne saurions trop encourager des rencontres d'êtres, mus par un même souci de prière et de méditation, au-delà de tout rite et donc de tout dogme, afin de tisser, de consolider un gigantesque égrégore de santé planétaire... c'est-à-dire de Lumière et de Paix.

Ce n'est pas un travail d'« idéaliste » ou d'« utopiste » mais un travail de « sur-conscience », ce qui signifie qu'il se place à l'opposé même du rêve. Il s'effectue en toute connaissance de cause et d'effet. Il met en action des mécanismes merveilleux, trop peu connus.

Prière et méditation sont hélas souvent considérées comme des refuges de mystiques. Leur mise en œuvre en pleine conscience les transforme, en fait, sachons-le, en agents moteurs de Vie par excellence.

Il n'y a pas, à notre sens, de prière ou de méditation idéales ; formules et techniques resteront à jamais des supports adaptés à la personnalité et à l'éveil de chacun. La faculté agissante de la prière et de la méditation réside en définitive dans l'attitude de cœur et d'esprit de celui qui les entreprend.

Qui a véritablement compris que prier ne signifie pas « tout attendre d'une Force extérieure à soi » ?

Qui a réellement compris aussi que l'action de méditer est trop souvent mue par un désir égotique de se perfectionner avant tout ?

Il nous semble qu'à l'heure actuelle, il est grand temps que prière et méditation transforment l'être humain en canal de Lumière plutôt qu'en quémandeur ; qu'elles soient dorénavant *médiations*. Par elles nous est donnée la possibilité de rétablir des connections entre les multiples champs d'expansion de la Vie, du plus dense au plus subtil.

Nous insistons sur le fait de synchroniser les élans de prière ou de méditation. Ces actions sont dynamisatrices et accélèrent la répartition de la Lumière dans les circuits énergétiques de la planète.

Tous ceux qui ont eu le bonheur de contempler l'aura de la Terre savent que d'intenses faisceaux de lumière bleue jaillissent de la surface du globe là où un tel travail est accompli avec régularité et sagesse.

Cette sagesse demande de ne pas nous projeter avec nos désirs dans les actes de prière et de méditation. Elle consiste à faire abdiquer notre personnalité inférieure au profit d'une Volonté Universelle... La Volonté qui a compris sait que la Lumière sans ombre est contagieuse...

Nous insisterons enfin une dernière fois sur l'état de conscience devant être cultivé par ceux qui s'assemblent pour de telles réunions de travail. Cet état de conscience décuple l'action entreprise; il responsabilise, élimine toute torpeur. Le tisserand qui ne sait pas pleinement ce qu'il tisse ou qui se contente de répéter des gestes « parce qu'il le faut » ne sera jamais qu'un technicien dont la création n'aura pas d'âme.

Celui que nous appelons « l'autre », que nous le sentions ami ou ennemi, qu'il soit voisin de palier, collègue de travail, supérieur hiérarchique ou chef d'État, n'est en aucun cas celui qui décide de la pesanteur ou de la pleine santé de notre vie ou de celle de la Terre. Il est le révélateur de nos insuffisances, leur colporteur d'un moment, car éternellement chacun demeurera l'artisan de la Force en expansion qui a pour nom. . SOLEIL.

ANNEXE

En additif à cette première approche de l'aura humaine voici quatre exemples d'interprétation des rayonnements subtils du corps humain. Dans le cadre de cet ouvrage, ces interprétations ne peuvent que rester relativement succinctes. Elles ne doivent que servir de point de repère pour un travail d'analyse plus poussé qui nécessite diverses visualisations en des points plus précis de chaque organisme

Aura n° 1

Cette aura dynamique est particulièrement révélatrice d'une personne dotée d'une forte vitalité. Le corps éthérique (signifié par un filet bleu pâle) rayonne de façon large et dense notamment dans la région des épaules, sans coupure ni perte d'énergie. On est donc déjà assuré ici d'être en présence d'une personne en pleine possession de ses capacités physiques.

La force et la densité également des radiations de l'aura astrale attirent ensuite immédiatement le regard. Trois teintes de base s'interpénètrent : un vert vif, un bleu foncé, un rouge tonique. Nous sommes donc face à un être chez lequel le sens des relations humaines occupe une place importante. Sans doute s'agit-il également d'un « meneur d'hommes », d'un être qui a l'habitude de prendre des décisions, voire de les imposer avec volonté. Le mariage d'un rouge et d'un bleu puissant l'atteste. D'une manière générale, il s'agit d'une personne qui aime concrétiser ses projets et qui se tient à ce qu'elle entreprend (ligne rouge le long des bras).

Nous sommes, d'autre part, en presence d'un tempérament relativement primaire en ce sens que l'essentiel de la vie de l'individu se concentre dans son aura astrale Il s'agit certainement d'un être impulsif, peut-être immature à certains égards, en tout cas assez enjoué (filament rosé dans la zone proche de la tête).

L'aura mentale est très peu visible (halo jaune) et indi que la faible importance des questions intellectuelles et métaphysiques chez l'être en question.

De fortes masses jaunâtres apparaissent néanmoins dans le pourtour de la tête. Il s'agit de formes-pensées ayant acquis une certaine densité. Cela est sans doute la conséquence du côté volontaire de l'individu. La densité et la netteté de ces taches, si elles persistent, peuvent faire craindre la formation d'idées fixes.

Du côté de la santé de cet être, peu de choses à signaler. On notera cependant un début d'ulcération de l'estomac (tache rougeâtre) et un mauvais fonctionnement hépatique. D'autre part, les bronches semblent comme « encrassées » et sont peu irriguées par le prâna. Peut-être sommes-nous en présence d'un grand fumeur. Enfin, une petite infection d'une molaire à la mâchoire supérieure gauche attire l'attention.

Aura n° 2

Un premier coup d'œil nous apprend que nous sommes face à un être présentant des troubles assez importants. Son aura éthérique est très nettement décalée sur la gauche du corps. Cela est généralement dû à un refus d'affronter la vie quotidienne ou à un choc d'origine physique (une chute, un accident...). Un examen plus attentif de cette aura vitale indique aussi une perte des forces (importants filaments grisâtres au bout des doigts au niveau de la rate, de la nuque, d'un genou). L'être est manifestement fatigué (larges rayons grisâtres) et l'aspect désordonné, terne de l'ensemble de l'aura astrale indique le développement d'une tendance dépressive. Il s'agit d'une personne foncièrement honnête et ayant un idéal d'ordre spirituel (fusion du bleu et du violet). Son état dépressif est confirmé par des rayons d'un vert kaki, indice de morosité. La présence de taches ocres dans l'émanation astrale signale une tendance à l'introspection excessive ainsi que le fait de « tout ramener à soi ». Une bulle de lumière bleutée est nettement visible au large de l'oreille gauche : l'être possède des capacités latentes de clairaudience. L'affectivité de cette personne semble particulièrement à fleur de peau. Sur le plan astral, le plexus cardiaque est hyper-dynamisé par rapport aux autres. Il n'a pas, d'autre part, la transparence souhaitable.

Du point de vue santé, cette personne souffre de problèmes de circulation prânique dans la moitié gauche de son corps ainsi que dans les parties inférieures des jambes. Ce dernier signe correspond souvent à un refus, plus ou moins conscient de l'être, de rester en contact avec le monde matériel quotidien (le corps se prive du rayonnement de la Terre) et confirme ce que le décalage de l'aura éthérique laissait supposer. La rate ne semble pas jouer son rôle d'assimilateur des forces cosmiques et ne peut pas, par conséquent, contribuer à régénérer l'ensemble du corps.

Deux zones sombres apparaissent encore au niveau de la gorge et du gros intestin. Si l'être souffre d'angines fréquentes, il ne faudra peut-être pas en chercher la raison première ailleurs que dans la zone intestinale. Enfin, on note un problème d'égale importance à l'appareil urinaire. De la vessie et de l'uretère émane une colonne grisâtre assez soutenue qui doit inciter à un examen plus approfondi de cette région du corps.

Aura n° 3

Cette aura est émise par un être ayant une très forte activité intellectuelle. La force mentale semble même excessive chez lui. Assez loin du corps apparaissent nettement des sortes de bulles qui ne sont autres que les formes-pensées émises constamment et continuellement renouvelées. On remarque, d'autre part, la présence de bandes violettes mêlées au rayonnement mental. Cela témoigne de l'intérêt de l'être pour les questions de nature « occulte ». L'ensemble des émanations signale une certaine volonté assez bien canalisée (flammes bleu marine au centre coronal) une légère impulsivité (éclairs rouges épisodiques autour de la tête) et un évident rayonnement dans les rapports avec autrui.

Un des traits marquants de cette aura est son très beau rayonnement vert émeraude, notamment sous forme de flammes à l'extrémité des mains. Il est l'indice d'incontestables qualités de thérapeute.

On remarquera cependant que la majeure partie des émanations lumineuses de ce corps se situe dans sa zone supérieure alors que les jambes présentent des filets grisâtres dans leur périphérie. Cela confirme la première impression laissée par l'aura mentale : la vie de l'être se localise essentiellement dans le domaine des abstractions intellectuelles. Le corps ne semble pas suffisamment alimenté en «énergie de base» de type tellurique, ainsi qu'en témoignent deux taches aux jambes : un blocage prânique à un nadi important côté gauche, une fuite d'énergie au creux poplité côté droit.

Deux chakras captent le regard : les troisième et quatrième. Le troisième, solaire, particulièrement vif, fait craindre une émotivité assez forte.

Par ailleurs, il faudra analyser plus précisément l'épigastre dont l'émanation sombre et son prolongement peuvent annoncer une œsophagite.

Notons également une importante tache au côté droit qui fait songer à un problème rénal déjà manifesté. Un examen plus approfondi devrait signaler la formation ou non de calculs.

Le sinus gauche présente enfin une faiblesse, peut-être est-ce à rapprocher de la brume grisâtre apparaissant dans la région du foie.

Aura n° 4

Cette triple visualisation de l'aura d'une femme permet de situer assez aisément l'origine des troubles qui apparaissent sur ses corps.

Une première approche de face fait comprendre qu'il s'agit d'un être fatigué et pour le moment replié sur lui-même (mariage de gris et de bleu pâle) Sa fatigue doit néanmoins être passagère car le corps éthérique demeure bien dense. Sa largeur excessive légèrement bordée de rouge au niveau des hanches atteste une sensualité très développée. Il s'agit vraisemblablement d'un être qui souhaite séduire. La présence abondante de langues rouges et jaunes dans la coque aurique signale un besoin d'attirer à soi et de plaire. Le manque de transparence du rayonnement du plexus solaire, ses pulsations fortes et irrégulières (vue de profil) traduisent un manque de maîtrise des émotions. Quelques dons pour la guérison sont aussi à signaler.

On remarque une stagnation de scories éthériques importante dans la région de la nuque. Une visualisation de dos signale un trouble aigu dans la zone des vertèbres cervicales. Les prolongements de cette tache (vue de profil) indiquent que le problème prend sa source dans une attitude mentale de l'être. Une tache au sein gauche et une à l'ovaire droit devraient faire l'objet de surveillance cependant qu'une disharmonie plus importante se manifeste aux plis de l'aine et dans les jambes où les nadis sont peu irrigués en prâna. Des troubles circulatoires sont à craindre. Une vue de dos confirme cette première impression. Des massages seraient sans doute bénéfiques aux creux poplités et aux talons. On notera par ailleurs une inflammation du nerf sciatique de la jambe gauche et un rayonnement sombre issu du bas-ventre, certainement en provenance de l'ovaire droit. Son origine est d'ordre astral, donc émotionnel.

TABLE DES MATIÈRES

Achevé d'imprimer en février 1992
sur presse CAMERON
dans les ateliers de la S.E.P.C.
à Saint-Amand-Montrond (Cher)

Dépôt légal : février 1992.
N° d'impression : 543.

Imprimé en France